15ª

ELO
1630

Bridget Jones Baby

Le Journal

HELEN FIELDING

BRIDGET JONES BABY

LE JOURNAL

*Traduit de l'anglais
par Françoise du Sorbier et Dominique Autrand*

ALBIN MICHEL

Basé sur le texte publié dans les colonnes du journal *The Independent.*
En remerciant également Working Title Films et Universal Pictures.

Pour Kevin, Dash et Romy

INTRO

Billy chéri,

Je suis persuadée qu'un jour ou l'autre tu découvriras le fin mot de cette histoire, alors je me dis que mieux vaut que tu apprennes de la bouche de ta propre mère comment tout a commencé.

Voici des extraits de mon journal et autres souvenirs de cette époque assez confuse.

J'espère que tu ne seras pas choqué. Avec un peu de chance, quand tu liras ces lignes, tu seras assez grand pour comprendre que même tes parents ont pu se conduire ainsi, et tu sais que je n'ai jamais été une sainte.

En fait, s'il y a un abîme entre la façon dont les gens croient devoir se comporter et leur conduite réelle, il y en a un aussi entre la façon dont ils s'attendent à voir leur vie évoluer et ce qui advient pour de bon.

Mais si on reste calme et optimiste, les choses s'arrangent en général – c'est ce qui s'est passé pour moi, parce que t'avoir est ce qui m'est arrivé de mieux.

Pardon pour cette histoire, et pour tout.

Baisers,

Maman X (Bridget)

Un

~

Le présage multiforme

Midi. Mon appart. Londres. Oh là là. Oh là là. Je suis archi en retard et j'ai la gueule de bois et tout est absolument épouv...

Aaaah, chouette, téléphone !

« Bonjour, ma chérie, tu ne devineras jamais ! » Ma mère. « On sort juste d'un brunch-karaoké chez Mavis Enderbury et tu ne devineras jamais ! Julie Enderbury vient juste d'avoir son... »

On entend pratiquement les pneus crisser, comme si elle avait failli dire le mot « gros » à un obèse.

« Vient juste d'avoir son quoi ? » je murmure, enfournant désespérément une tranche de fromage de chèvre, suivie par une demi-barre protéinée pour faire passer ma gueule de bois, tout en essayant de pêcher dans les vêtements en vrac sur le lit une tenue vaguement convenable pour un baptême.

« Rien du tout, ma chérie ! gazouille-t-elle.

– Qu'est-ce qu'elle a eu, Julie Enderbury ? dis-je au bord du haut-le-cœur. Une opération pour gonfler encore ses nichons géants ? Un mignon petit Brésilien dans son lit ?

– Oh, rien, rien, ma chérie. Elle a juste eu son troisième, mais si je t'ai appelée en fait, c'était... »

Grrrr ! Pourquoi ma mère est-elle abonnée à ce genre de réflexions ? C'est déjà assez pénible de s'approcher à toute vitesse de la date limite pour avoir un bébé sans...

« Pourquoi tu évites le sujet du troisième de Julie Enderbury ? » dis-je, agacée, pianotant éperdument sur la télécommande pour trouver un dérivatif et tombant évidemment sur une pub où un mannequin adolescent et anorexique tient dans ses bras un bébé qui joue avec un rouleau de papier-toilette.

« Oh, mais pas du tout, ma chérie, répond maman d'un ton dégagé. Et puis, regarde Angelina Jolie par exemple. Elle a adopté ce petit Chinois. »

Je rétorque froidement :

« Je crois qu'en fait, Maddox est cambodgien, maman. »

À la façon dont elle parle des people, on croirait qu'elle vient d'avoir une conversation intime avec Angelina Jolie au brunch-karaoké chez Mavis Enderbury.

« Ce que je veux dire, c'est qu'Angelina a adopté ce petit bébé, et après, elle a chopé Brad et elle a eu tous ces autres bébés.

– Je ne crois pas que ce soit pour ça qu'Angelina a

"chopé" Brad Pitt, maman. Avoir un bébé, ce n'est pas le but ultime de la vie d'une femme», dis-je en me contorsionnant pour entrer dans une robe pêche vaporeuse que j'ai mise pour la dernière fois au mariage de Magda.

« Voilà comment il faut voir les choses, ma chérie. Et certaines personnes ont des vies merveilleuses sans enfants. Regarde Wynn et Ashley Green ! Ils ont descendu le Nil trente-quatre fois. Évidemment, ils étaient mariés, alors…

– Écoute, maman, pour une fois dans ma vie, je suis très heureuse. Je réussis, j'ai une voiture neuve avec GPS et je suis liiiiibre», dis-je, volubile, en regardant par la fenêtre où, vision insolite, un groupe de femmes enceintes descend la rue en bas de chez moi en se caressant le ventre.

« Hmmm. Bref, ma chérie, tu ne devineras jamais…

– Quoi donc ? »

Voilà que trois autres femmes enceintes emboîtent le pas au premier groupe. Ça commence à devenir bizarre.

« Elle a accepté ! La reine ! Elle vient faire une visite officielle le 23 mars pour célébrer le quinze centième anniversaire de la pierre d'Ethelred.

– Quoi ? Qui ? Ethelred ? »

Un véritable cortège de femmes enceintes marche à présent dans la rue.

« Tu sais, ce truc au village à côté de la bouche d'incendie où Mavis a récolté un sabot de Denver. C'est

15

un vestige de l'époque anglo-saxonne, poursuit maman, qui s'est mise en mode bavardage automatique. Mais dis-moi, tu n'es pas censée venir au baptême aujourd'hui ? Elaine m'a dit que Mar…

– Maman, il se passe une chose vraiment étrange ici, dis-je d'un ton léger. Faut que j'y aille. Je te laisse. »

Grrrr ! Pourquoi tout le monde essaie-t-il de vous culpabiliser quand vous n'avez pas d'enfants ? Parce que quand même, tout le monde éprouve une certaine ambivalence face à la maternité, y compris ma mère. Elle est toujours en train de répéter : « Je me dis parfois que j'aurais mieux fait de ne jamais avoir d'enfants, ma chérie. » Ce n'est déjà pas facile de se débrouiller dans le monde moderne, car les hommes sont une espèce primitive de moins en moins évoluée, alors la dernière chose dont une femme a besoin, c'est… Aaargh, on sonne.

12 h 30. C'était Shazzer, finalement ! Je lui ai ouvert avec le vidéophone, puis j'ai de nouveau galopé à la fenêtre, complètement flippée. Vêtue d'une petite robe noire tout à fait déplacée pour un baptême et chaussée de Jimmy Choo, Shazzer fonce vers le frigo sitôt entrée.

« Bridget, bouge-toi le cul. On est complètement à la bourre ! Pourquoi tu te caches sous la fenêtre habillée en petite fée ?

– C'est un présage, je bredouille. Dieu me punit d'être une carriériste égoïste et de tromper la nature avec des moyens contraceptifs.

– Qu'est-ce que c'est que ce délire ? répond-elle joyeusement en ouvrant le frigo. Tu as du vin ?

– Tu n'as pas vu ? La rue est pleine de femmes enceintes. C'est un présage multiforme. Bientôt, des vaches vont tomber du ciel et des chevaux vont naître avec huit jambes et… »

Shazzer, son joli petit cul bien moulé dans la robe noire, s'approche de la fenêtre et jette un coup d'œil au-dehors.

« Il n'y a personne en bas, sauf un garçon vaguement sexy avec une barbe. Bof, pas vraiment sexy à y regarder de plus près. Enfin, pas très. Peut-être sans la barbe… »

Je bondis jusqu'à la fenêtre et je regarde la rue vide, perplexe. « Elles sont parties. Envolées. Mais où ? »

« Très bien, pas de panique. Calme, très très calme », fait Shazzer, avec l'air d'une policière américaine s'adressant à son huitième dingue armé de la journée. Je cligne des yeux en la regardant comme un lapin pris dans les phares d'une voiture, puis me précipite dehors et descends l'escalier ; j'entends ses talons marteler les marches derrière moi.

Tiens donc ! me dis-je triomphalement en débouchant dans la rue. DEUX AUTRES femmes enceintes se hâtent dans la même direction.

Je les arrête et leur pose carrément la question : « Qui êtes-vous ? Qu'est-ce que ça veut dire, ce rassemblement ? Vous allez où ? »

Les femmes désignent un écriteau devant le café végétarien fermé : YOGA PRÉNATAL, ATELIER POP-UP.

J'entends Shazzer étouffer un rire derrière moi. Je lance aux femmes : « Bien, bien, parfait, magnifique. Très bon après-midi à vous.

– Bridget, dit Shazzer, tu es complètement barrée. »

Là-dessus, nous nous écroulons toutes les deux devant ma porte, en proie à un fou rire frôlant l'hystérie.

13 h 04. Ma voiture. Londres. « Tout baigne, on sera en avance », a déclaré Shazzer.

C'était quatre minutes après l'heure où nous aurions dû être au cocktail précédant le baptême à Chislewood House, et nous étions coincées dans les encombrements massifs de Cromwell Road. Mais nous étions à bord de ma nouvelle voiture, qui vous dit par où passer pour arriver là où vous voulez aller, d'où vous pouvez télé-phoner, etc.

« Appelle Magda, dis-je avec assurance à la voiture.

– Vous avez dit Pelmagar, débite la voiture.

– Non, pas Pelmagar, tarée ! glapit Shazzer.

– Prenez sur Mégatarey, débite la voiture.

– Mais non ! Triple conne ! hurle Shazzer.

– Prenez sur Tripticon.

– Ne crie pas sur ma voiture !

– Non mais tu ne vas pas te mettre à défendre ta voiture maintenant ? »

Soudain, la voix de Magda dans le téléphone de

bord : « Mets ta culotte. Mets ta CULOTTE, enfin ! Tu n'iras pas à un baptême sans culotte.

– Mais on a une culotte ! je réplique, indignée.

– Parle pour toi, murmure Shazzer.

– Bridget ! Où es-tu ? Tu es la marraine. Attention, maman va taper, elle va taper.

– T'inquiète ! On file dans la campagne ! On arrive d'une minute à l'autre, dis-je en jetant un coup d'œil éperdu à Shazzer.

– Ah, tant mieux. Dépêche-toi, on a besoin de boire un coup avant pour se donner du courage. En fait, je voulais vous dire quelque chose.

– Quoi donc ? » je réponds, soulagée que Magda ne soit pas folle furieuse. L'expédition se transformait en agréable virée à la campagne.

« Hum. À propos du parrain.

– Ouiiiii ?

– Écoute, je suis vraiment désolée. On a tellement d'enfants qu'on a épuisé notre contingent de mecs à peu près solvables. Jeremy lui a demandé sans m'en parler.

– Qui, "lui" ? »

Il y a une pause à l'autre bout du fil, et des hurlements en fond sonore. Puis un mot unique me cisaille comme le couteau d'un chef français entrant dans du confit de canard.

« Mark.

– Tu plaisantes ? » dit Shazzer.

Silence.

«Non, sérieux, Magda, tu plaisantes? répète Shazzer. Putain, j'hallucine! Tu penses à quoi, sadique de mes deux? Tu ne vas quand même pas la faire venir devant ces putains de fonts baptismaux avec Mark Darcy, face à une brochette de putains de Mariées-fières-de-l'être et de putains de sales mecs…

– Constance! Remets-moi ça DANS LES TOILETTES! Pardon, faut que je vous laisse!»

Elle raccroche.

«Arrête la voiture, dit Shazzer. On n'y va pas. Fais demi-tour.

– Faites. Demi-tour. Au prochain. Carrefour, dit la voiture.

– Ce n'est pas parce que Magda s'accroche si désespérément à Jeremy, qu'elle a eu un tardillon "accidentel" et qu'elle est à court de parrains et de marraines que tu dois jouer le petit couple à l'autel avec ton ex et son balai dans le cul.

– Mais je suis bien obligée. C'est mon devoir. Je suis marraine. Il y a bien des gens qui vont en Afghanistan.

– Bridget, ce n'est pas l'Afghanistan, c'est un putain de cocktail mondain à la mords-moi-le-nœud. Arrête-toi.»

J'essaie d'obtempérer, mais je déclenche des coups de klaxon hystériques. Je finis par trouver une aire de stationnement à côté d'un supermarché Sainsbury.

«Bridge», dit Shazzer en me regardant et en écartant

une mèche de cheveux de mes yeux. L'espace d'un instant, je me demande si elle n'est pas lesbienne.

Je sais qu'aujourd'hui, les jeunes ne se cataloguent plus comme « gay » ou « hétéro ». Ils sont comme ils sont. Et puis les relations entre femmes sont plus faciles qu'entre hommes et femmes. Seulement, j'aime les hommes et je n'ai jamais…

« Bridget ! » répète Shazzer d'une voix sévère. « Tu es repartie dans ta bulle. Tu passes ton temps à faire ce que tout le monde veut que tu fasses au lieu de ce qui est bon pour toi. T'envoyer en l'air en l'occurrence. Si tu tiens absolument à aller à ce baptême de cauchemar, alors fais-toi baiser SUR PLACE ! C'est exactement ce que je vais faire. Pas sur les lieux du cauchemar, mais dans mon appart. Et si tu es décidée à te mettre dans une situation complètement inacceptable pour plaire à tout le monde, je rentre en taxi. Parce que moi, je t'annonce que je vais passer l'après-midi à baptiser mon toy boy. »

Mais Magda est mon amie, et elle a toujours été gentille avec moi. Alors, j'ai fini le trajet en voiture en ressassant ce qui aurait pu être et en faisant mon Calimero, toute seule dans ma nouvelle voiture qui, par chance, était d'humeur tout à fait loquace.

~

Cinq ans avant

Je n'en reviens toujours pas. Je ne voulais rien faire de mal. J'essayais juste d'être sympa. Shazzer a raison. Il faut que je recommence à lire davantage, par ex. *Pourquoi les hommes aiment les garces.*

La réception pour nos fiançailles, à Mark et moi, se passait dans la salle de bal du Claridge. J'aurais préféré un endroit un peu plus bohème, avec des guirlandes électriques et des paniers en guise d'abat-jour, des canapés sur le trottoir, etc. Mais le Claridge est le genre d'endroit qui, d'après Mark, convient pour des fiançailles. Or, dans une relation, il faut savoir s'adapter, c'est le but du jeu. Et Mark, qui ne sait pas chanter, s'est bel et bien exécuté. Il avait réécrit les paroles de « My Funny Valentine ».

Ma drôle de Valentine,
Gentille p'tite Valentine
Tu as su dégeler mon cœur.
T'es pas une intello,
Tu bois des coups en trop

Mais tu as su faire mon bonheur.
C'est vrai, ton poids fait le yoyo,
C'est vrai, tu rates tous les métros
Et puis tu es toujours paumée,
Es-tu inadaptée ?
Mais ne lis ni Proust ni Edgar Poe,
Pourvu que tu me dises « OK », « Hello »
Je veux te garder telle que tu es
Alors tu veux bien m'épouser ?

Il a chanté comme une casserole, mais comme il est tellement coincé d'habitude, les gens ont été tout émus. Il a laissé sa réserve au vestiaire et m'a embrassée sur la bouche en public. Honnêtement, j'ai cru que je ne pourrais jamais être plus heureuse que ce jour-là.

Ensuite, hélas, tout n'a pas tardé à se déglinguer à toute vitesse.

Résolutions

Si un jour tout va à nouveau bien pour moi, je ne veux plus rien avoir à faire avec les choses suivantes :
a) Le karaoké
b) Daniel Cleaver (mon ex-petit ami, le rival de choc de Mark Darcy et son vieux copain de Cambridge, l'homme qui a brisé son premier mariage – Mark l'ayant

surpris en rentrant du travail en train de sauter sa femme sur la table de la cuisine).

Je descendais juste d'une des tables après avoir chanté « I Will Always Love You » quand j'ai remarqué Daniel Cleaver qui me regardait, l'air tragique et égaré.

Le problème avec Daniel, c'est que c'est un manipulateur, et un incontinent sexuel de première, qu'il est infidèle, ment comme il respire et peut être très méchant. À l'évidence, Mark le déteste parce qu'ils ont un lourd passif, mais moi je trouve qu'il y a chez lui quelque chose de tout à fait désarmant.

« Jones, a dit Daniel. Au secours. Je suis torturé par les regrets. Tu es le seul être au monde qui aurait pu me sauver, et maintenant tu en épouses un autre. Je suis en train de me désintégrer, Jones, j'ai l'impression de m'effondrer complètement. Quelques mots gentils en tête à tête, Jones, tu veux bien ?

– Voui, Daniel, bien sssûr, ai-je bredouillé. Je voudrais jusss que tout le monde soit aussssssi heureux que moi. »

Rétrospectivement, je crois que j'étais un tout petit peu pétée.

Daniel m'a pris le bras et m'a guidée dans une certaine direction.

« Je suis torturé, Jones. Tourmenté.

– Nnnon, écoute. Ch'crois vraiment que... Le bonheur, c'est vvvraiment...

– Viens par ici, Jones. S'il te plaît. Il faut absolument que je te parle seul à seule », a dit Daniel en me faisant entrer tant bien que mal dans une pièce. « Crois-tu que je sois condamné à jamais au désespoir, dis-le-moi franchement ?

– Gnnnon ! ai-je répondu. Gnon, gnon, gnon, Daniel ! Tu vas être HEU-RRRREUX. 'Bsolument !

– Serre-moi fort, Jones. Moi, j'ai peur de ne jamais…

– 'Coute-moi ! Le bonheur, c'est chouette passsque… », ai-je déclaré au moment où nous avons perdu l'équilibre et sommes tombés par terre.

« Jones, a-t-il feulé, laisse-moi regarder une dernière fois la culotte géante que j'adore. Tu veux bien faire plaisir à papa ? Avant que ma vie ne soit plus que cendres ? »

La porte s'est ouverte en grand et, levant les yeux, j'ai découvert avec horreur le visage de Mark, juste au moment où Daniel soulevait ma jupe. Un éclair de souffrance a traversé ses yeux bruns, puis son visage s'est complètement figé, se refermant sur ses émotions.

Ç'a été LA chose que Mark n'a pas pu me pardonner. Nous avons quitté le Claridge ensemble, comme si de rien n'était. Pendant plusieurs semaines, nous avons essayé de poursuivre la relation et avons fait croire à tout le monde que tout allait bien, mais sans arriver à nous convaincre nous-mêmes.

Comme vous le savez peut-être, j'ai un diplôme de

langue et littérature de l'université de Bangor, et la situation m'a fait penser à une phrase magnifique de D.H. Lawrence :

Dans son âme fière et honorable, quelque chose s'était cristallisé contre lui, devenant dur comme de la pierre.

Dans l'âme fière et honorable de Mark, quelque chose s'était cristallisé contre moi. « Qu'est-ce qui lui a pris ? Sur toute une vie, c'était un moment sans importance. Il sait bien comment est Daniel », ont dit les amis. Mais Mark, lui, a été profondément blessé, d'une façon que je n'ai pas comprise et qu'il n'a pas pu expliquer. Ç'a été la goutte d'eau qui fait déborder le vase. Il a fini par me dire que ça ne pouvait plus durer. J'avais toujours mon appartement. Il s'est excusé pour la gêne occasionnée, la peine qu'il me faisait, etc. Avec la dignité qui le caractérise, il s'est occupé de diffuser auprès des amis et de la famille la nouvelle que les fiançailles étaient rompues, et peu après il est parti travailler en Caroline du Nord.

Les amis ont été épatants et ont fait chorus : « Il est psychorigide après ses années dans une public school, ce mec. Il a un balai dans le cul et il est complètement incapable de s'engager. » Six mois plus tard, il épousait Natasha, l'avocate ambitieuse, filiforme et coincée avec qui il était la première fois que je l'ai vu en costume, à un cocktail d'éditeur pour la sortie de *La Motocyclette de Kafka*, où elle a péroré devant Salman Rushdie sur les « hiérarchies de la culture » et où la seule chose que j'aie trouvée à dire, c'était : « Savez-vous où sont les toilettes ? »

Je n'ai plus jamais eu de nouvelles de Daniel. « Qu'il aille se faire voir. C'est un taré, un incontinent sexuel, un infidèle chronique infoutu de s'engager avec qui que ce soit », a tempêté Shazzer. Sept mois plus tard, Daniel épousait une princesse/mannequin d'Europe de l'Est, et on le voyait de temps à autre dans les pages de *Hello*, penché avec grâce sur le parapet d'un château, sur fond de montagnes, l'air légèrement embarrassé.

Me voilà donc cinq ans plus tard en train de faire du surplace sur l'autoroute M4, horriblement en retard, et sur le point de revoir Mark pour la première fois depuis la rupture.

Deux

~

LE BAPTÊME

14 h 45. Parking de l'église de Nether Stubbly. Gloucestershire. Tout va très bien. Seulement quinze minutes de retard par rapport à l'heure où le baptême devait commencer, mais rien ne démarre jamais à l'heure, pas vrai ?

Vais être sereine, calme et digne. Me demanderai simplement si jamais il y a un malaise « Que ferait le Dalai Lama ? ». Et je suivrai son exemple.

En descendant de voiture, je me suis retrouvée dans un beau décor estival des Cotswolds : une église ancienne, des roses, une odeur d'herbe fraîchement coupée, des feuillages luxuriants. Une beauté dont l'Angleterre seule a le secret – l'unique jour de l'année où le soleil brille et où tout le monde panique en se disant que ça ne se reproduira peut-être pas avant l'année prochaine.

J'ai pris le chemin de l'église en chancelant, juchée sur

mes talons, un peu alarmée de ne voir personne. Ils n'avaient quand même pas commencé le baptême sans la marraine ? Soudain, on a entendu le ronflement d'un hélicoptère. Je suis restée sur place, mes cheveux et ma robe volant autour de moi, pour le regarder se poser. Tel James Bond, avant même que l'appareil ait touché terre, Mark Darcy a sauté et s'est dirigé à grandes enjambées vers l'église tandis que l'hélicoptère reprenait de la hauteur et s'éloignait.

J'ai essayé de rester le plus digne possible malgré mes talons qui s'enfonçaient dans l'herbe et suis entrée dans l'église juste à temps. Me suis dit que tout serait parfait parce que j'avais retrouvé mon poids idéal et que tout le monde verrait que j'avais complètement changé. J'ai éprouvé une émotion familière en voyant la haute silhouette droite de Mark devant les fonts baptismaux. En remontant l'allée centrale, j'ai entendu distinctement Cosmo dire : « Elle est malade ? Elle est maigre comme un clou. Où sont passés les… tu sais… ses nichons ? »

À mon approche, le pasteur a dit : « Bon ! Eh bien, on peut peut-être commencer ? » Et il a ajouté à mi-voix : « J'ai encore trois autres corvées du même style cet après-midi. »

« Bridget ! Mais enfin, où étais-tu passée, où est Shazzer ? » a sifflé Magda. Sur ce, sa dernière candidate au baptême, Molly, s'est mise à hurler. « Là, prends-la. » Magda m'a tendu sa fille, qui sentait délicieusement bon le talc et le lait. J'ai eu la satisfaction de la sentir se nicher entre mes seins – qui soit dit en passant, sont TOUJOURS LÀ – et s'arrêter de crier.

Mark a salué mon arrivée d'un simple battement de cils.

En fait, le baptême s'est très bien passé. J'ai fait ça tellement souvent que je connais la musique. Mais dès la cérémonie terminée, au lieu de se mêler à l'assistance, Mark a filé et s'est volatilisé.

Quand je suis arrivée à la réception, j'ai fait l'erreur de me joindre à un groupe de Mères-fières-de-l'être.

« Tout ce que fait une nounou australienne, c'est envoyer des SMS.

– Prends-toi une fille d'Europe de l'Est. Audrona a un diplôme d'ingénieur aéronautique de l'université de Budapest.

– Ah, regarde qui est là ! Bridget, la marraine favorite de tout le monde ! gazouille Mufti.

– Ça t'en fait combien maintenant, Bridget ? demande Caroline en se caressant le ventre.

– Quatre cent trente-sept. Trente-huit avec celle-là. Ah, faut que je file et…

– Tu devrais songer à en avoir un à toi, tu sais, Bridget. Il ne te reste plus beaucoup de temps », dit Woney.

L'espace d'une seconde, j'ai envie de l'empoigner par les oreilles et de lui hurler : « Tu crois que ça ne m'a pas traversé l'esprit ? », mais comme si souvent au cours de la dernière décennie, je me retiens parce que, curieusement, je ne veux pas lui faire de peine.

« Tu veux me toucher le ventre ? dit Caroline en caressant son ballon de femme enceinte.

– Non merci, vraiment.

– Allez, touche-le.

– Non, il faut vraiment que…

– Touche. Le. Ventre », dit-elle avec une surprenante férocité. « Oh, elle me donne un coup de pied !

– Comme on la comprend, souffle Magda. Foutez la paix à Bridget, bande d'encloquées ! Vous êtes jalouses parce que vous voudriez avoir un boulot et vous envoyer de jolis petits dieux du sexe comme elle. Viens boire un verre, Bridge. »

Et elle me fait sortir de la chambre des tortures puis s'arrête net, blêmit et me chuchote : « Jeremy est encore en train de lui parler, à celle-là.

– Oh là là, Magda, je suis désolée. Ça continue ?

– Mouais. Faut que j'y aille. Le bar est là-bas. À plus. »

Je traverse la foule agglutinée près du bar et me retrouve en plein milieu d'un groupe de pères bourrés.

« Si tu veux faire entrer ton gamin à Westminster à six ans, t'as intérêt à commencer les cours particuliers à trois ans.

– Ouais. Mais… tu peux retenter le coup à onze ans.

– Oublie !

– Sauf si tu veux le mettre en section latin…

– Bridget ! Tu as été malade ? Où sont passés tes nichons ?

– Tu t'es pas encore trouvé un mec ? »

Je réussis à éluder sans incident en hochant la tête avec un sourire énigmatique. Je me jette sur le bar en me disant que ça ne peut pas devenir pire, et me retrouve juste à côté de Mark Darcy.

Voici la conversation :

MARK DARCY : Salut.

MOI : Salut.

MARK : Comment vas-tu ?

MOI (drôle de voix) : Je vais très bien, merci, et toi ?

MARK : Ça va.

MOI : Moi aussi.

MARK : Bon.

MOI : Oui.

MARK : Ah bon.

MOI : Ah oui.

MARK : Bon, alors au revoir.

MOI : C'est ça, au revoir, alors.

Nous nous retournons et nous adressons à deux serveurs différents.

« Un verre de vin blanc, s'il vous plaît », je demande, et j'entends Mark passer commande :

« Une vodka martini.

– Un grand verre, dis-je.

– Triple dose, s'il vous plaît.

– Un très grand verre.

– Et une bière pour faire passer le tout. »

Nous restons plantés là, incroyablement mal à l'aise, nous tournant le dos. Là-dessus, les pères bourrés entreprennent Mark.

« Darcyyyyyyyyyyyyyy ! Comment tu vas, vieux salaud ? Comment ça se fait que tu es arrivé en retard dans un hélico ?

– Eh bien, j'avais une réunion… euh… importante au Foreign Office. »

Le barman me tend mon vin et j'avale une gorgée géante en essayant de m'éclipser discrètement.

« Comment ça va, la vie de célibataire, Darcy ? » demande Cosmo.

Je reste figée. La vie de célibataire ?

« Tu caches bien ton jeu, hein ? Tu as une nouvelle nana ?

– Ah, mais je viens seulement de…, commence Mark.

– Qu'est-ce que tu fabriques, enfoiré ? Johnny Forrester était à peine sorti du tribunal après son divorce qu'il croulait sous les nanas. Il était submergé par le nombre. Sortait tous les soirs. »

Je prends une autre gorgée de vin énorme juste au moment où Mark marmonne : « Oui, eh bien je crois que vous n'avez aucune idée de ce que c'est de se retrouver seul à ce stade de l'existence. Où que j'aille, il y a toujours quelqu'un qui essaie de me fourguer une femme d'un certain âge, une paumée qui cherche un preux chevalier pour résoudre tous ses problèmes, financiers, physiques et autres. Bon, il faut que j'y aille. Oui. Je dois filer. »

Je m'éloigne d'un pas mal assuré, je sors et m'appuie contre le mur, l'esprit chancelant. Célibataire ? Il s'est séparé de Natasha ? Une femme d'un certain âge ? Il parle de MOI ???? Croit-il que ce baptême est une sorte de coup monté bizarre ? Est-ce qu'il part ? Entre confusion et indignation, je suis sur le point d'envoyer un SMS à Shazzer quand Magda apparaît, l'air plutôt pétée maintenant elle aussi.

« Bridget, dit-elle. Mark est divorcé. Divorcé. Il a quitté la sauterelle.

– Je viens de l'apprendre.

– Viens dehors qu'on en discute tout de suite. »

Quand Magda et moi passons près du bar, les pères bourrés sont encore en mode blabla automatique.

« Et Bridget, alors ? Jamais compris pourquoi ces deux-là n'ont pas fait de gamins.

– Ils ne sont pas restés ensemble assez longtemps.

– Elle était trop vieille ou c'est lui qui n'arrivait pas à se la mettre au garde-à-vous ? »

Dans le jardin, nous trouvons une flopée d'enfants dont aucun ne grimpe aux arbres, ne joue à chat, ni ne fait de course en sac, etc., comme des mômes de leur âge, mais qui sont tous scotchés à des appareils électroniques. Magda leur fonce dessus : « Zac ! File ! Tout de suite ! J'avais dit quarante-cinq minutes.

– Mais j'ai pas fini mon NIVEAUUUUUU.

– Filez ! Tout de suite ! Tous autant que vous êtes ! » hurle Magda en essayant d'attraper les appareils avec de grands gestes mal coordonnés.

« C'est trop injuste !

– Je vais perdre mes couronnes !

– Je me fous de vos putains de couronnes – DONNE-MOI ÇA ! »

Une pagaille monstre s'ensuit.

« ÇA SUFFIT ! tonne une voix. Potter, Roebuck, vous arrêtez ! Allez, en rang ! »

Surpris, les garçons se croient manifestement de retour à l'école, et les voilà raides comme des piquets.

« Bien », dit Mark en déambulant devant eux comme s'il se trouvait au prétoire. « Qu'est-ce que c'est que cette tenue ? Conduisez-vous en hommes. Faites-moi dix fois le tour du lac, tous. Le premier arrivé – il a sorti son iPhone – a droit à dix minutes d'Angry Birds. Allez, filez. Courez. VITE ! »

Les plus grands s'élancent comme des pur-sang. Les petits éclatent tous en sanglots.

Mark a l'air un instant déconcerté. « Bien. Magnifique », dit-il avant de rentrer dans l'hôtel.

Archie, l'un de mes nombreux filleuls, trois ans, se tient le ventre en avant, l'air tout triste et la lèvre inférieure tremblotante. Je m'approche de lui. Il jette ses bras autour de mon cou et je sens quelque chose qui me tire les cheveux.

« Mon touin, dit Archie.

– Ton quoi ? je demande en portant mes mains à mon crâne. Oh merde ! »

Il y a un petit train en métal accroché à ma tête. Le moteur tourne toujours et mes cheveux s'entortillent autour.

« Pardon ! Pardon ! » Archie pleure encore plus fort à présent. « C'est mon "Thomas le petit touin" !

– Ne t'inquiète pas, mon chéri, ne t'inquiète pas », dis-je, essayant d'arrêter le train.

« Audrona ! brame Magda. Merde ! Mais où elles sont passées, ces foutues nounous ?

– Magda ! J'ai un train coincé sur la tête ! »

C'est la pagaille autour de nous tandis que les plus grands des garçons continuent à faire le tour du lac au galop comme des derviches. Les nounous finissent par réapparaître et emmènent les petits à l'étage. Les plus grands rentrent du lac épuisés, mais pas suffisamment pour ne pas se précipiter sur l'iPhone de Mark. J'ai du mal à regarder quand ils s'agglutinent autour de lui :

Mark Darcy imposant le respect sans avoir l'air d'y toucher.

Mes souvenirs du reste de la soirée sont assez confus à cause d'un approvisionnement inépuisable en alcool. Je crois qu'on a fait des danses country. Plus tard, je me suis retrouvée dans un groupe où il y avait Mark, sur la terrasse. La plupart d'entre nous se tenaient au mur pour garder l'équilibre.

« Vacherie d'électronique, a marmonné Magda. Vacheries de gamins, Zac et ses potes.

– Rien de tout ça ne serait arrivé si on l'avait envoyé en pension, a dit Jeremy, dont les yeux se portaient sans cesse vers le bar d'où "l'autre" le lorgnait.

– En pension ? Il a sept ans, espèce d'enfoiré, a protesté Magda.

– Voui. C'est d'un cruel ! Vachement barbare, ai-je renchéri.

– Moi, j'y suis allé à sept ans, a lancé Mark.

– Voui, ben regarde où ça t'a mené », a rétorqué Magda.

Redoutant de perdre pied, et peut-être même de tomber dans une vraie pièce d'eau, j'ai descendu les marches d'un pas incertain en direction du parc, ai failli me tordre la cheville en route, et suis allée m'asseoir sur un banc surplombant le lac au clair de lune.

« Alors ? Cruel, hein ? dit la voix de Mark derrière moi.

– Oui, un abandon cruel, je répète, le cœur battant à tout rompre.

– Tu ne trouves pas qu'ils seraient mieux équipés pour la vie avec un peu de discipline, des principes et de l'émulation ?

– Ah, ça, c'est très bien pour un grand mâle alpha qui cartonne dans toutes les matières ; mais les petits rondouillards, les ahuris ou les farfelus, qu'est-ce qu'ils deviennent ? Qui auront-ils le soir pour les attendre quand ils rentrent, pour leur dire qu'ils sont uniques… »

Mark s'assied à côté de moi. « … et pour les aimer comme ils sont ? », dit-il simplement.

Je baisse les yeux en essayant de reprendre mes esprits.

« Tu as un train dans les cheveux.

– Je sais. »

Il tend la main et dégage le train d'un seul geste fluide.

« Il n'y a rien d'autre dans le secteur ? Qu'est-ce que c'est que ça… du gâteau ? »

L'ancien Mark, adorable, efficace. Je meurs d'envie de l'embrasser.

« Ça fait un bail, hein ? dit-il.

– Oui. Rappelez-moi votre nom.

– Aucune idée.

– Moi non plus.

– Je vous connais depuis quarante ans, mais j'ai complètement oublié votre nom. »

Nous avons éclaté de rire – la vieille plaisanterie de papa à Grafton Underwood.

Mark m'a regardée de ses yeux bruns profonds et expressifs, et je me suis demandé : « Que ferait le Dalai Lama en pareille circonstance ? »

Nous nous sommes jetés l'un sur l'autre comme deux fauves lâchés et avons continué dans ma chambre d'hôtel tout le reste de la nuit.

~ DIMANCHE 25 JUIN

Le matin, notre appétit l'un de l'autre était loin d'être rassasié, mais notre appétit tout court devenait critique. Et impossible d'obtenir le room-service.

« Je vais aller nous chercher quelque chose au buffet, a dit Mark en boutonnant sa chemise. Et toi, interdiction de bouger. »

Quand il a quitté la pièce, j'ai entendu une voix d'homme dans le couloir, qui le saluait, manifestement. La conversation a continué, le ton a monté, puis le silence est revenu brusquement. Bizarre.

Je n'y ai pas prêté davantage attention, me suis enfoncée entre mes oreillers pour rêvasser, encore gavée de sexe, savourer des images de cette nuit et prendre une pose flatteuse pour le retour de Mark.

La porte s'ouvre et il entre avec un plateau chargé de jus d'orange, café et croissants au chocolat.

« Mmmmmm, merci, reviens ici, toi », dis-je.

Mais il pose le plateau sans s'asseoir.

« Qu'est-ce qu'il y a ? »

Il se met à marcher de long en large. « J'ai fait une erreur », déclare-t-il.

Mon esprit commence à partir en vrille : horreur, sort funeste, douleur, et moi, vulnérable en chemise de nuit devant lui en costume. Non, pas ça ! Après une telle passion, une telle intimité, on ne bascule pas instantanément dans la douleur et le rejet ! Pas en chemise de nuit.

« Je n'ai pas réfléchi. Je me suis laissé emporter par mes émotions, par la joie de te revoir. J'avais beaucoup trop bu. Nous avions trop bu. Mais nous ne pouvons pas poursuivre.

– Poursuivre ? En voilà, une drôle de façon de décrire le fait de s'envoyer en l'air.

– Bridget, dit-il en s'asseyant sur le lit. Ce n'est pas possible. Je viens juste de divorcer. Affectivement parlant, je ne suis pas en état d'entamer une relation avec toi au stade où tu en es de ta vie.

– Mais je ne t'ai rien demandé.

– Je sais bien, mais la question se pose, qu'elle soit explicite ou non. À ton âge, je ne... Ce serait malhonnête de ma part… Je ne veux pas empiéter sur les années où tu peux avoir des enfants. »

19 h. Mon appart. Oh là là. Oh là là. J'ai atteint ma date de péremption sexuelle. Je n'attire plus les hommes parce que je suis flétrie, je ne suis plus qu'une coque vide.

19 h 01. Je suis toxique. Les radiations que j'émets sont des répulsifs à mecs.

19 h 02. Allons. Pfff. Je ne vais pas laisser mes sentiments influencer ma carrière professionnelle. Je suis une productrice pro, et je vais obliger mon cerveau multitâche à compartimenter les sujets, même si j'ai couché avec l'amour de… et si j'ai été rejetée par lui. D'ailleurs, à partir de maintenant, je me fous des hommes. Mon travail, un point c'est tout.

19 h 03. Pour une femme, la période qui précède la quarantaine, quand elle n'a pas d'enfants, est la plus difficile de sa vie. C'est un piège biologique qui, j'en suis sûre, sera déjoué dans les années qui viennent. Mais pour l'instant, c'est une torture ; le tic-tac de l'horloge devient de plus en plus assourdissant, les hommes sentent votre panique et prennent leurs jambes à leur cou. Vous savez que le temps est compté, si bien que même si vous rencontriez quelqu'un TOUT DE SUITE, la relation ne pourrait pas se développer à son rythme ni un bébé faire son apparition selon le cours naturel des choses.

19 h 05. Les bébés : beurk. Je suis une professionnelle de haut vol. Toutes les femmes ont des besoins, que je satisfais avec des liaisons adultes, d'une élégance quasi française.

TROIS

~

LES HOMMES
SONT COMME DES AUTOBUS

18 h. Studio de *Sit Up Britain*. «Tourne la page», dit Miranda. Assise dans le studio, entourée de caméras et d'écrans géants. Impeccable comme toujours, elle est dans le fauteuil de la présentatrice, pendant que je contrôle TOUT l'ensemble à partir de la salle de régie vitrée au-dessus du studio, tout en lui parlant dans son oreillette.

«À l'antenne dans trente secondes», dit Julian, le régisseur de plateau.

«Je n'arrive pas à croire qu'il est parti comme ça, en s'imaginant que je voulais une relation stable et des bébés», je chuchote dans son écouteur.

J'ai l'impression d'être pathétique.

«Mais qu'est-ce que tu racontes!» dit Miranda pendant que le preneur de son glisse le micro sous son chemisier et le fait remonter.

«Dix, neuf, huit, sept…, commence Julian.

– On est à *Sit Up Britain*, pas à l'époque victorienne, dit Miranda. Tu as couché avec ton ex. Et après ? »

Aaaargh ! À son insu, Miranda surgit sur tous les écrans du studio, et du pays par la même occasion. « De toute façon, ça ne compte pas de baiser avec son ex.

– Désolé, j'ai sauté cette réplique. Oui, on est à l'antenne », dit Julian.

BONG ! Le thème du générique est lancé, un jingle haletant et syncopé en fond sonore, donnant l'impression que les sous-fifres de *Sit Up Britain,* telles des fourmis, vont récolter les nouvelles sur tous les points chauds du globe, alors qu'en réalité tout le monde glande et parle cul au bureau.

« La cuite express ! » gazouille Miranda, légèrement paniquée d'abord, puis reprenant rapidement sa voix nette et précise de présentatrice : « Menace sérieuse pour nos adolescentes ou façon traditionnelle de faire la fête ? » BONG. Une image de jeunes femmes complètement saoules à la sortie du pub apparaît à l'écran.

« Tu crois que c'est parce que j'ai un certain âge ? je chuchote dans l'oreillette de Miranda.

– Non, c'est parce que c'est un handicapé du cœur ! » glisse Miranda, qui a reparu sur les écrans nationaux. « Et maintenant, sir Anthony Hopkins…

– … élargit la gamme toujours plus vaste de son talent, je glisse dans son oreillette, pensant à toute vitesse.

– … élargit la gamme toujours plus vaste de son talent », répète Miranda tandis qu'apparaît le fauteuil tout à fait vide où sir Anthony Hopkins est censé être assis pour le plan où il est censé saluer.

« … et explore tout l'éventail des émotions transmises par un jeu d'acteur, je termine pour elle, ramant désespérément.

– … et explore tout l'éventail des émotions transmises par un jeu d'acteur », déclare Miranda à la caméra.

BONG.

« Et pour finir, qu'est-ce qui fait que les hommes deviennent gays ? Les plus récentes recherches désignent l'environnement utérin. »

« Qu'est-ce qui fait que les hommes deviennent tarés ? Voilà plutôt la bonne question », dit Miranda en se laissant aller contre le dossier de son fauteuil, croyant le clip commencé alors que ce n'est pas tout à fait le cas.

« Bridget ! Miranda ! » Richard Finch, mon patron de longue date, fait irruption dans la régie. « Je vous ai dit de ne pas parler entre les coups de gong. Vous avez foutu le bordel. Et où est Anthony Hopkins ? »

Je panique. « Merde ! Où il est ? Où est Anthony Hopkins ? »

Le dernier clip se termine et toujours pas d'Anthony Hopkins.

« Installe Anthony Hopkins dans ce fauteuil ! » je crie dans l'oreillette de Julian, le régisseur.

« Et maintenant, revenant juste de son lieu de tournage, notre invité suivant…, dit Miranda d'une voix guillerette.

– Délaie, Miranda, délaie», je siffle.

Je repère Anthony Hopkins, cheveux et costume gris, en train d'errer désespérément dans le studio.

«Il est là, Julian! Caméra à gauche, non, à droite, peu importe, derrière le fauteuil.»

«Chevalier du royaume...», continue Miranda.

«Fais-le asseoir dans le fauteuil. Installe-moi Anthony, bordel, Hopkins dans ce fauteuil illico», je dis comme une femelle dominante en colère dont le taxi aurait pris un itinéraire qui ne lui plaît pas.

«Trésor national, oscarisé», improvise éperdument Miranda, «cannibale...».

Le régisseur installe à la hâte Anthony Hopkins dans le fauteuil pendant que l'ingénieur du son l'équipe d'un micro.

«Un acteur consacré qui, n'ayons pas peur de le répéter, est un trésor national, sir Anthony...»

Ce n'est pas Anthony Hopkins.

«Hopkins! Sir Anthony!» poursuit allègrement Miranda, bien qu'à l'évidence, la personne en face d'elle ne soit pas Anthony Hopkins. «Est-ce que Hannibal Lecter vous a poursuivi pendant toute votre carrière?

– En fait, je suis ici pour parler de la possibilité d'un gène gay dans l'environnement utérin», déclare l'homme, juste au moment où sir Anthony Hopkins surgit derrière Miranda, faisant sa mine d'Hannibal le cannibale.

Après l'émission, au moment où Miranda vient s'affaler à côté de moi dans la régie en disant : « Ah dis donc, par qui il faut se faire sauter pour obtenir un mojito, ici ? » Richard Finch ouvre la porte à la volée en nous jetant un de ses regards lourds de sous-entendus : « Bridget ! Miranda ! Je vous présente Peri Campos, notre nouveau contrôleur de réseau. » Il désigne une fille en talons hauts derrière lui. « Et voici l'équipe d'analystes de systèmes qui a observé notre émission d'aujourd'hui... » Un groupe fait son entrée en traînant les pieds dans la petite salle de régie.

« ... et qui continuera à le faire pendant quatre semaines pour voir où nous pouvons opérer les réductions d'effectifs les plus efficaces », termine Peri Campos. Elle est américaine, très jeune, vêtue d'une sorte de tenue de bondage griffée, et entourée de jeunes barbus avec des chignons. « On va dégraisser, continue-t-elle. J'adore ce mot. J'ai l'impression qu'il me fait venir un flot de sang sous les dents. »

19 h. Toilettes de *Sit Up Britain*. Je vais me faire virer et être remplacée par des jeunes à chignon.

19 h 03. C'était la dernière expérience sexuelle de ma vie. Il m'a sautée par pitié.

19 h 04. Je suis comme ces profs qu'on avait au lycée, célibataires à vie, qui se tartinaient de poudre blanche et de rouge à lèvres carmin, qui s'appelaient « Miss » Machin et nous semblaient venir d'un autre âge et d'un autre monde. Voilà, je suis devenue comme elles... Ah, chic, téléphone !

19 h 10. C'était Tom. « Alors, à quelle heure tu arrives à ce truc pour le prix Archer-Biro ? »

Mon esprit se met à tourner à toute vitesse.

« Bridget ? BRIDGET ?

– Je ne peux pas y aller », je déclare d'une voix mystérieuse et sépulcrale. « Au prix Archer-Biro.

– Oh, arrête ton char, chérie. Ne me dis pas que tu es encore en plein délire à propos de Mark Darcy. Tu es une déesse du sexe radieuse et triomphante, et lui, un bigame en série, un raseur de première avec un balai dans le cul. On se retrouve au Skybar à 19 h 30. Et ça va déchirer, ma poule. »

20 h. Salle de bal de Bankside. South London. On a monté l'escalier avec pour fond sonore Shazzer en mode délire antitarés.

« Les fils de puuuuuuuuuuuuuuuuuuuuuute ! »

Il y a eu une brève altercation avec le type en noir d'une vingtaine d'années qui contrôlait la liste. Il a fallu que Shazzer explique qu'il était hors de question de ne pas laisser entrer Tom sous prétexte qu'il n'était pas sur la liste, vu que cette omission était le signe évident de l'HOMOPHOBIE d'Archer-Biro, ce qui la foutrait mal sur les réseaux sociaux, etc.

Le vingtenaire, terrifié, nous a laissés passer et Shazzer a continué à glapir pendant que nous montions à l'étage suivant.

« Il est quand même gonflé de te sauter à un baptême et puis de disparaître. C'est un constipé du cœur, un dégueulasse, un allumé…

– Avec un mode d'attachement anxieux », ajoute Tom qui (merci de ne pas rire) est désormais psychothérapeute.

« Un taré manipulateur, un cul-pincé arrogant ! » continue Shazzer à voix très haute alors que nous faisons notre entrée dans la salle pour y trouver le Tout-Londres littéraire assemblé, un verre dans une main et dans l'autre une petite coupe en plastique emplie de nourriture non identifiable.

Les auteures nominées, issues des nations les plus variées, sont alignées sur la scène : ici un turban en batik, là une tunique guatémaltèque, et là une burka intégrale.

« Chhhuttt. » La dernière rangée de la gent littéraire se retourne, consternée, tandis que la maîtresse de cérémonie, vêtue d'une robe scintillante genre soirée des Oscars, prend le micro.

« Mesdames et – ne les oublions pas – messieurs ! »

Elle s'interrompt pour laisser fuser quelques rires – franchement faiblards. « Je suis heureuse de vous accueillir pour le prix Archer-Biro du roman féminin, qui fête aujourd'hui triomphalement sa quinzième édition. Le prix Archer-Biro a été conçu globalement, et dans sa quintessence même, pour éradiquer la "chick lit". »

« J'ai passé l'âge », je marmonne.

« Pour promouvoir la littérature sérieuse, responsable… »

Je me penche vers Shazzer. « Personne ne couchera plus jamais, jamais, jamais avec moi. »

« Expressive et forte… »

« Dernière expérience sexuelle, mon cul, oui ! »

« Où s'expriment l'impératif féminin, son intuition… »

« On va te trouver un bon coup d'ici la fin de la soirée, dit Miranda.

– Taisez-vous, les filles ! siffle Jung Chan, scotchée au bar.

– Oh merde ! Pardon », je murmure.

Puis je sens une main me frôler les fesses. Figée, je me retourne pour voir une silhouette familière s'éloigner de dos et traverser la foule.

« Et maintenant, pour décerner le prix, je voudrais appeler une personnalité de la télévision, l'ancien PDG de Pergamon Press et, d'après ce que me dit mon petit doigt, nouveau venu parmi les ROMANCIERS ! Daniel Cleaver ! »

Aaaaargh !

« Qu'est-ce qu'il fout là ? demande Tom. Je croyais

qu'il était en Transylvanie avec la princesse Disney de Bimboland. »

« Mesdames, messieurs, Archer-Biro », commence Daniel, qui a la mine éclatante et tonique d'un homme politique venant de se faire masser le visage, « c'est un honneur incroyablement excitant de se trouver au milieu d'une assemblée de finalistes radieuses, un peu comme si on débarquait dans un concours alternatif de Miss Monde. »

Je frémis pour lui, m'attendant à des cris scandalisés, mais un murmure amusé court dans l'assistance.

« Oh, il est impayable ! » s'exclame Pat Barker en souriant et plissant le nez.

« J'attends avec impatience le moment du défilé en maillot de bain », poursuit Daniel.

Éclat de rire général.

« Je vous avoue que j'ai mis plus de temps à apprendre à prononcer correctement les noms de nos prestigieuses finalistes qu'à lire leurs œuvres exceptionnelles et géniales. Le résultat, qui se trouve dans cette belle enveloppe dorée de chez Ryman, s'est joué apparemment à un poil près – mais je ne dévoilerai naturellement rien de l'intimité des dames de l'assemblée. »

Les puissantes voix littéraires féminines sont maintenant en passe de s'étouffer.

« C'est donc avec des mains tremblantes, et avec mes remerciements au Trinity College de Cambridge, qui m'a permis d'acquérir les premiers rudiments de proto-indo-européen, que je déclare gagnante... »

Il ouvre l'enveloppe avec un maximum d'effets. « Oui, j'ai l'impression de sortir un préservatif de son emballage et là – oh, mes chéries ! Mes très chères lectrices et finalistes ! Nous avons deux ex-æquo ! Omaguli Qulawe pour *Le Bruit des larmes intemporelles* et Angela Binks pour *Les Larmes silencieuses du temps.* »

Dès la fin des discours, Daniel a été submergé par une marée de jeunes journalistes et j'ai filé aux toilettes pour reprendre mes esprits.

« Je ne veux plus t'entendre dire ce genre de conneries », a dit Tom quand je me suis levée de table. « Tu verras, d'ici quelques années l'avantage sera du côté des femmes. La danse du taré devient un luxe qu'on ne peut plus se permettre quand on a un bide qui dégouline par-dessus sa ceinture et qu'on devient chauve. »

Dans les toilettes, je me suis complètement effondrée en me disant que j'avais l'air d'avoir cent ans, et je me suis mise à me tartiner de fond de teint. Là-dessus, Tom a passé la tête par la porte et a dit : « Arrête-moi ça, ma chérie, ou tu vas finir avec la tête de Barbara Cartland. » Je suis finalement sortie dans le couloir et me suis trouvée nez à nez avec Daniel.

« Jones, ma beauté ! s'est-il écrié, radieux. Tu as l'air encore plus jeune et jolie que la dernière fois que je t'ai vue il y a cinq ans. Non, sérieux, Jones, je ne sais pas si je dois t'épouser ou t'adopter.

– Daniel ! s'est exclamé Julian Barnes qui s'approchait avec son petit sourire pincé.

– Julian ! Tu connais ma jeune nièce, Bridget Jones ? »

21 h. Encore dans les toilettes, en train de retoucher ma beauté juvénile avec un coup de blush supplémentaire. Vachement sympa, ce cocktail. En fait, Daniel est vraiment tout à fait charmant et je ne me sens plus vieille du tout.

Ce qui, je crois, est d'une certaine manière le message central du prix Archer-Biro : ne pas laisser un homme te dicter comment tu dois te sentir.

« Allez, fonce, ma poule », dit Tom en me tendant un verre quand j'émerge des toilettes. « En selle ! »

22 h. Daniel et moi, bien imbibés, sortons en titubant avec le flot d'invités bourrés quittant la soirée.

« Alors, qu'est-ce qui est arrivé à la princesse ? je demande.

– Oh, c'est fini, fini. Dommage, en fait. Je crois que j'aurais fini par faire un très bon roi : cruel mais bien-aimé.

– Aïe. Qu'est-ce qui a foiré ?

– Trop de perfection tue le désir, Jones. Tous les soirs, les mêmes cheveux brillants étalés sur l'oreiller.

Les mêmes traits parfaits figés dans l'extase. On aurait dit une capture digitale de l'acte sexuel. À la différence de toi, Jones, qui ressembles à ce mystérieux paquet informe qui arrive un matin de Noël, bizarre, un peu bosselé mais…

– … dont tu rêves toujours d'ouvrir l'emballage. Oui, merci, Daniel. Ravie d'avoir eu les dernières nouvelles ! Et maintenant, je vais appeler un taxi.

– C'était un compliment, Jones. Et puis primo, il n'y a pas de taxis ; et deuzio, s'il y en avait, tu te battrais pour en avoir un avec les cinq cents autres géants de la scène littéraire qui ont tous barbe et moustaches. »

J'essaie de m'en commander un par téléphone, mais le message enregistré dit : « Tous les conseillers de notre service clientèle sont occupés. Notre temps d'attente pour cette adresse est exceptionnellement long. »

« Écoute, dit Daniel, mon appart est à trois minutes. Je t'appellerai un taxi de chez moi. C'est la moindre des choses. »

Je regarde Annie Proulx et Pat Barker monter dans le dernier taxi, tandis que Jung Chan grimpe derrière elles.

22 h 30. Chez Daniel. Debout dans le baisodrome familier et élégant de Daniel donnant sur la Tamise. Toutes les compagnies de taxis affichent encore « des temps d'attente exceptionnellement longs ».

« Tu as vu Darcy depuis qu'il est rentré ? » demande Daniel en me tendant un verre de champagne. « En

pleine débandade et en plein échec affectif ? Pas éton-
nant pour un type qui n'en revient pas chaque matin
de voir dans la glace un parfait inconnu. Il pleurait
après l'amour ? Avant ? Ou alors pendant ? J'ai oublié.

– Bon, Daniel, ça suffit, me suis-je exclamée, indignée. Je ne suis pas venue chez toi pour que tu m'infliges
une litanie de remarques chargées de très mauvaises
vibrations karmiques à propos de quelqu'un qui… »

Brusquement, Daniel m'embrasse sur les lèvres. Oh
là là, il embrasse comme un dieu.

« Non, non, il ne faut pas, je proteste faiblement.

– Mais si, il faut. Tu sais LA chose que regrettent le
plus les gens qui vont mourir ? Ce n'est pas de ne pas
avoir sauvé le monde, ni de ne pas avoir atteint l'apo-
gée de leur carrière. Non. C'est de ne pas avoir baisé
davantage. »

∼ MARDI 27 JUIN

20 h. Chez moi. Œil pathologiquement rivé sur le téléphone. Toujours aucune nouvelle des deux. Est-ce que
ça va continuer comme ça tout le reste de ma vie ? Est-
ce que je vais me défoncer au sherry avec Mark et Daniel
en jouant aux dominos dans la maison de retraite, et
puis piquer une crise parce qu'ils m'ont sautée sans me
demander de jouer au Scrabble ?

20 h 05. Ai du mal à croire qu'au bout de toutes ces années, j'ai encore cette réaction après m'être envoyée en l'air. Comme si je m'étais présentée à un examen et que j'attendais les résultats. Vais appeler Shazzer.

20 h 15. « Les ex, ça ne compte pas, déclare Shaz.

– C'est exactement ce que m'a dit Miranda ! Pourquoi ?

– Parce que la relation a déjà foiré.

– Alors je sais déjà que je suis collée ? »

20 h 30. Renoncer aux hommes. Les fuir comme la peste.

QUATRE

~

PÉRIMÉNOPAUSE

Trois mois plus tard

22 h. Mon appart. C'est la catastrophe. Je n'arrive pas à croire que c'est... Ah, chic, on sonne !

23 h. C'étaient Shazzer, Tom et Miranda. Ils ont fait irruption chez moi, complètement cuits.

« Chérie ! Tu es vivante ! s'est exclamé Tom.

– Bordel, c'était quoi, ce plan ? a demandé Shaz.

– Hein ?

– Tu n'as répondu ni au téléphone, ni aux SMS, ni aux mails, ni à rien de tout le week-end. Tu as fait vœu de silence technologique total ?

– Qu'est-ce qu'elle était en train de googler ? »

Je bondis vers mon portable et le leur arrache des mains.

« "Périménopause" ! Ça fait sept heures qu'elle clique là-dessus. Elle s'est inscrite à *bouffeesdechaleur.com*.

– Certaines femmes commencent leur ménopause à trente-cinq ans, je bredouille précipitamment. Dans les années qui viennent, toutes les femmes vont congeler leurs ovocytes, s'occuper de leur carrière, les mettre au micro-ondes et hop, le tour sera joué, mais…

– Pourquoi crois-tu être en périménopause ? »

Je les regarde, gênée.

« Tes règles sont devenues irrégulières ? » demande Shazzer.

Je hoche la tête, au bord des larmes. « Je ne les ai plus. Et je commence à avoir la bouée de l'âge mûr. Regardez, il a fallu que je prenne une taille de jean au-dessus. »

Je leur montre mon ventre. Mais au lieu de me manifester de la compassion, ils échangent des regards.

« Euh, Bridget, commence Tom. Une idée comme ça. Une idée en l'air, sans doute, mais…

– Tu as fait un test de grossesse, j'espère ? » demande Shazzer.

J'accuse le coup. Comment peut-elle être aussi cruelle ?

« Je vous l'ai dit. Je suis stérile. Comment voulez-vous que je sois enceinte puisque je suis en périménopause ? Je ne peux plus avoir d'enfants. »

On dirait que Miranda se retient de pouffer.

« Mouais, tu sais, je repense à ce refrain "Avec les

ex, ça ne compte pas" que tu nous as servi cet été. Mark et Daniel. Tu as utilisé des capotes ? »

Insupportable.

« Oui ! » Je sens la moutarde me monter au nez. Bien sûr que j'ai utilisé des capotes. Je prends mon sac et j'en sors le paquet. « Celles-là. »

Ledit paquet circule entre eux comme si c'était une preuve : on se croirait dans *Les Experts : Miami.*

« Bridget, dit Shazzer. Ce sont des préservatifs écolos, respectueux des dauphins et ils sont périmés depuis deux ans.

– Et alors ? Les dates de péremption sont là pour pousser à la consommation, non ? Elles ne veulent rien dire.

– Ce qui caractérise les produits respectueux des dauphins, c'est qu'ils se dégradent avec le temps », dit Miranda.

Shazzer se lève et met son manteau. « Bon, on s'en fout, des putains de dauphins. Fonçons à la pharmacie de garde. »

Pendant le trajet vers la pharmacie de garde, j'ai eu l'impression de traverser le cimetière de mes années fécondes – ici, l'arbre dans lequel Daniel a jeté ma culotte après la fête de Noël de Pergamon Press ; là, le coin de rue où Mark et moi avons échangé notre premier baiser sous la neige ; là, le pas de porte où Mark Darcy a dit pour la première fois : « Je t'aime telle que tu es. »

De retour dans l'appartement, Shazzer a tambouriné sur la porte de la salle de bains.

«Ça prend deux minutes, d'accord? ai-je dit.

— Et si elle est enceinte des deux? De jumeaux, par exemple? a chuchoté Tom si fort que je l'ai entendu.

— Impossible, a répondu Miranda d'une voix pâteuse. Le premier sperme bloque le second ou quelque chose comme ça.

— Et quand il y a un jumeau blanc et un noir?

— Ce sont deux ovules différents, fécondés avec le même sperme. »

Ce n'était pas ainsi que j'avais imaginé ce moment. Je croyais que je serais avec l'amour viril de ma vie dans une ferme rénovée des Cotswolds, avec des sols en béton ciré et des tapis à longs poils, et peut-être une déco signée Jade Jagger.

«Complètement absurde, gronde Shazzer. Une femme ne peut pas avoir des ovules noirs et des blancs.

— Des ovules mouchetés? suggère Tom au moment où je sors de la salle de bains.

— Regarde, elle a la tige du test.

— Donne-moi ça. »

Shazzer et Tom essaient tous les deux de saisir ladite tige, si bien que je la lâche. Nous la regardons tournoyer dans l'air et atterrir doucement sur le tapis, où nous la fixons avec une stupéfaction religieuse. Il y a une ligne bleue indéniable sur la petite fenêtre.

– Tu ne peux pas être...

– ... un petit peu enceinte, termine Tom.

– Stu. Pé. Fiant », dit Miranda.

Je n'arrive pas à y croire.

En fond sonore, j'entends les amis continuer leurs commentaires :

« Mais elle a picolé et fumé.

– Aïe, aïe, aïe, tu as raison, elle a tué le bébé.

– Le bébé est mort.

– Et elle ne sait pas qui est le père.

– Qu'est-ce qu'on va faire ? »

Mais rien de tout cela ne comptait. J'avais l'impression d'entendre des sonneries de trompettes et des accords de harpes. Les nuages se déchiraient, les rayons de soleil perçaient et les petits oiseaux gazouillaient joyeusement. J'attendais un bébé.

CINQ

~

KIKAFÉÇA ?

9 h. Cabinet de l'obstétricienne. Londres. « Alors, à laquelle des deux dates pensez-vous que je suis tombée enceinte ? je demande, pleine d'espoir.

– C'est important ? répond le Dr. Rawlings, une femme pète-sec et dépourvue d'humour.

– Oui ! C'est un moment tellement spécial ! Nous voulons connaître la date, afin de pouvoir la chérir.

– Eh bien, ce n'est pas possible. Il faudra les chérir toutes les deux.

– Oui, mais quand même, l'une est plus probable que l'autre ?

– En fait, l'une est un peu prématurée et l'autre un peu tardive. Vous êtes sûre qu'il n'y a pas d'autre date chérissable entre les deux ?

– Absolument, merci, dis-je d'un ton pincé. Alors, des deux, laquelle choisiriez-vous ?

– Aucune idée. Les deux sont également possibles.

– Devinez.

– Non.

– Faites comme si vous mettiez de l'argent sur un cheval.

– Non.

– Et l'échographie… ?

– Dixième à treizième semaine. Vous êtes à treize.

– … Elle n'indiquera pas la date de conception ?

– Non. Appelez ce numéro afin de prendre rendez-vous pour l'écho, dit-elle en se levant. Et vous pourrez vous faire accompagner par le père, j'espère ? »

Je l'ai distinctement entendue ajouter à mi-voix : « Si vous savez lequel c'est. »

« Juste par curiosité… ! je m'exclame soudain.

– Ouiiiii ?

– Quand on a une hésitation sur l'identité du père…

– Il faut se procurer un échantillon contenant leur ADN – sang, cheveux, ongles, dents.

– Leurs dents ?

– Non, pas les dents, Bridget, répond-elle d'un ton las. Cheveux, ongles, sang, salive – tout cela est préférable à des dents.

– Et si l'on veut avoir l'ADN du bébé ?

– Il faut faire une amniocentèse. Ce qui serait probablement une bonne idée, de toute façon, pour une primipare âgée.

– PRIMIPARE ÂGÉE ?

– Oui. Au-dessus de trente-six ans, techniquement, on est une mère âgée.

~ JEUDI 5 OCTOBRE

« Il faut voir le bon côté des choses », a dit Tom, qui m'avait accompagnée à l'amniocentèse avec Shaz et Magda. « Tu vas pouvoir faire valoir en même temps tes droits à la retraite et à une pension alimentaire.

– Ce que ça peut être anxiogène ! » a dit Magda, en pleine hyperventilation. « Bridget, tu ne peux pas avoir un bébé sans un père. Un seul père.

– Non, je t'assure, Magda, tout va très bien », ai-je répondu, prise de court par un haut-le-cœur.

« On peut faire quelque chose, chérie ? a demandé Tom.

– Merci, Tom. Peux-tu aller me chercher des *cheesy potatoes* ? Oh, et puis un croissant au chocolat et du bacon en plus des patates au fromage. J'ai la trouille. Je ne veux pas qu'on m'enfonce une grande aiguille dans le corps.

– Écoute, a dit Shaz, c'est un examen complètement superflu, de toute façon. Si le bébé commence à t'entraîner vers toutes les jolies femmes qui passent, tu sauras qu'il est de Daniel. Et si tu as l'impression qu'il a un balai dans le cul, il est de Mark Darcy. »

19 h. Mon appart. Viens de rentrer d'un après-midi entre rêve et amnio-cauchemar évitée de justesse.

« Alors ? Le bébé va bien ? » ai-je demandé pendant que le Dr. Rawlings faisait glisser la sonde à ultrasons sur mon ventre.

« Il se porte comme un charme. Ne vous en faites pas. Vous savez, vous n'êtes pas la première femme à s'apercevoir qu'elle est enceinte alors qu'elle a continué à boire quelques verres pendant les premiers mois. Tenez, regardez. »

Elle a tourné l'écran vers moi et ça m'est tombé dessus. L'amour. Elle était toute floue – avec une petite tête ronde, comme, comme... un bébé. Une petite personne en miniature à l'intérieur de moi ! Elle a un nez, une bouche, un petit poing près de sa bouche ! Jamais je n'avais rien vu d'aussi beau.

« Bon ! » a dit le Dr. Rawlings. Elle s'est tournée, avec à la main une aiguille géante. C'était dément. Un truc qui faisait bien trente centimètres de long. « Maintenant, je dois vous dire qu'il y a un risque de fausse couche avec une amniocentèse, surtout à votre âge, mais il faut mettre ce risque en balance avec...

– Ne m'approchez pas ! » ai-je hurlé en sautant de la table. « Qu'est-ce que vous FABRIQUEZ ? Vous êtes folle ? Vous allez TUER mon bébé ! Vous n'allez quand même pas l'embrocher comme Hamlet a embroché l'autre derrière la tapisserie ! »

À mon grand émoi, je me suis retrouvée en train de

me tenir tendrement le ventre comme l'une des Mères-fières-de-l'être au baptême.

« Vous voulez me toucher le ventre ? ai-je proposé.

– Je viens de le faire, Bridget. C'est là que nous avons vu l'image de ce joli bébé, vous vous souvenez. Alors, on continue ?

– Non, non, c'est bon », ai-je bafouillé en rassemblant mes affaires. « Pas de risques, pas d'ADN. Je ne veux pas voir cette aiguille s'approcher de mon bébé. »

~ **SAMEDI 7 OCTOBRE**

Calories : 4 824 (mais je suis enceinte, hein ? Alors je peux manger comme quatre – enfin, mettons deux et n'en parlons plus !). Cheesy potatoes : 3 (potassium, ou fibres ?). Fromage : 250 gr (protéines). (Mais pas de fromage de chèvre, parce que toxique pour le bébé.) Brocolis : 3 fleurons (excellent aliment polyvalent, mais ne compte pas car ai tout vomi – bébé déteste les brocolis). Cheesy potatoes : 3 (Bébé adore les pommes de terre au fromage, et les bébés à naître ont une connaissance instinctive de ce qui est bon pour eux).

16 h. Viens de rentrer d'une expédition shopping pour le bébé. Ai acheté grenouillère pêche absolument adorable avec bandana à fleurs chez ILoveGorgeous, et l'ai étalée sur le lit : on dirait une petite fille. Me demande presque si pourrais acheter un bébé Corolle pour m'exercer à l'habiller, mais ça serait un peu glauque, non ? Suis hyper excitée mais, en même temps, me trouve bizarrement paresseuse, presque somnolente et distraite, comme si j'étais un peu défoncée. Dois m'assurer qu'au travail personne ne s'en aperçoit pour l'instant. Et ne vais sans doute pas encore en parler à maman. Et puis, vais m'attaquer mentalement au problème du père. Absolument.

Mais vais juste m'accorder une minute pour profiter du bonheur du moment. J'attends un bébé !

Six

~

TOUTE LA VÉRITÉ

Midi. L'Electric Bar. Portobello Road. «Il faut que tu leur dises, Bridge», déclare Miranda.

Je hoche la tête, tout en buvant du tonic zéro calorie avec une paille. On a beau être à l'Electric, mon envie de boire de l'alcool a brusquement disparu. La seule idée de l'alcool me donne la nausée et des aigreurs étranges, un peu comme si j'avais la gueule de bois, ce qui est paradoxal quand on y pense.

«Bridget!»

Je sursaute.

«Quoi?

– Il faut le leur dire. Aux pères.

– Ah oui. Non. Si. Je vais le faire. Si on redemandait des chips? Vous voulez toucher mon ventre?»

De guerre lasse, ils me tapotent tous le ventre, pour la forme.

81

«Commence par Daniel, conseille Tom. Histoire de t'entraîner.

– Envoie-lui un SMS maintenant, dit Miranda.

– Elle ne peut pas lui envoyer un SMS comme ça, c'est trop impromptu.

– Mais si, mais si. Je peux faire ce que je veux. J'ai un bébé dont je dois m'occuper.»

Je prends mon téléphone et, aussi sec, j'envoie le SMS suivant :

```
Cleaver, ici Jones. Je veux te parler.
On peut se voir cette semaine ?
```

Il répond immédiatement :

```
Plutôt impromptue, ta proposition, Jones,
mais pourquoi pas ? Serai ravi te voir. Ven-
dredi soir ? Viendrai te chercher en voiture
et t'emmènerai dîner.
```

Mince alors! C'est aussi facile que ça? Est-ce qu'à force de m'échiner à faire croire aux gens qu'ils ne me plaisent pas, au cas où ils s'imagineraient que je suis en manque, j'en suis arrivée à les persuader qu'ils ne me plaisent pas?

19 h. La voiture de Daniel. Sud de Londres.

« Tu la trouves comment, ma voiture, Jones ? »

Daniel et moi étions en train de foncer sur le pont de Waterloo et j'essayais désespérément de trouver un moment pour aborder le sujet du bébé avant d'arriver au restaurant parce que je redoutais une scène en public. Mais Daniel ne pensait qu'à une chose, sa nouvelle Mercedes.

« Tu as l'impression qu'elle ronronne comme un chaton, mais si tu appuies sur la pédale, waouhh ! »

Daniel a accéléré brusquement et mon estomac m'est remonté dans la gorge.

« Tu aimes les intérieurs gris pâle, Jones ? J'avais envie de prendre du noir, ou même un rouge sang assez voluptueux, mais j'ai trouvé cette couleur plutôt délicate, et très jolie en fait. »

Daniel avait réservé au Nobu, à Park Lane, le genre d'endroit où on a des chances de rencontrer Posh et Becks ou Brad et Angelina (auquel cas je pourrais apprendre si c'est ou non grâce à Maddox qu'Angelina a « chopé » Brad Pitt et régler une fois pour toutes le désaccord avec maman).

Hélas, il n'y a pas de célébrités en vue. Un peu, je suppose, comme lorsqu'on fait un safari et qu'il n'y a ni tigres ni lions. Mais il flotte dans l'air une nette odeur de poisson.

Quand le garçon nous conduit à notre table, Daniel n'a pas encore repris son souffle assez longtemps pour me permettre d'en placer une. Il est passé de sa nouvelle voiture à son nouveau roman, *La Poétique du temps.*

« D'un point de vue conceptuel, c'est l'inverse de *La Flèche du temps*[1]. Les personnages croient que le temps est inversé, alors qu'en fait il avance.

– Mais ça ne veut pas seulement dire que le temps va dans son sens habituel ?

– C'est un roman conceptuel, Jones. Existentiel. »

Mais qu'est-ce qui lui prend ? Normalement, tout ce qui intéresse Daniel, c'est de vous faire avouer la couleur des culottes que vous portiez à l'école.

« Oui, mais n'empêche », j'insiste, tandis que le garçon nous apporte les menus, « est-ce que ça ne serait pas un peu gros, sinon ? ».

Au menu, il n'y a que du poisson, du poisson sous toutes ses formes : en sushi, en tempura, du poisson nourri au saké pendant des centaines d'années. Je sens le bébé s'agiter frénétiquement dans tous les sens.

« Sinon quoi, Jones ?

– S'il allait en marche arrière. Ce que je veux dire, c'est que si le temps allait à reculons, tu le remarquerais

---

1. *Time's Arrow* (1991), de Martin Amis : roman où le temps va à l'envers. (*N.d.T.*)

tout de suite. Les voitures iraient en marche arrière. Et les poissons aussi, j'ajoute, sentant mon estomac me remonter dans la gorge.

– Les poissons ? »

Cédant à une passivité inhabituelle due à ma grossesse, je laisse Daniel commander et continuer à parler de son livre à-contre-courant-sans-l'être. Tout cela est très bizarre. On dirait que Daniel tient absolument à être pris au sérieux désormais. Peut-être cela a-t-il un rapport avec l'âge ? Comme la voiture. Bref, moi, j'ai le ballon et Daniel la grosse tête.

« Ce qui se passe, c'est qu'on est dans un univers conceptuel, Jones, poursuit Daniel. Il n'y a pas de poissons dans *La Poétique du temps*.

– Ah, eh bien, c'est une bonne chose ! » je lance avec entrain.

Pendant que le garçon pose les plats – rien que du poisson – devant nous, je sens qu'il me faut absolument liquider *La Poétique du temps* pour entrer dans le vif du sujet.

« C'est une réalité nouvelle qui oblige chacun à remettre en question très…

– Oui, tout à fait, ça a l'air très… Écoute, Daniel, il y a quelque chose qu'il faut absolument que je…

– Je sais, je sais, je sais, je sais », dit-il. Et il s'interrompt pour ménager son effet. Puis il repasse en mode plus typique de Daniel le séducteur, se penche vers moi et me regarde au fond des yeux avec une sincérité bidon.

« J'ai été en dessous de tout, Jones. Il aurait dû y avoir des coups de téléphone et une reconnaissance éperdue après notre nuit explosive. Il aurait dû y avoir des fleurs en hommage, des cadeaux, des chocolats délicatement marqués de nos deux noms entrelacés sur fond de petits cœurs. Seulement voilà, je me suis retrouvé pieds et poings liés, coincé dans un enfer éditorial : corrections, épreuves, lancement. Tu n'imagines pas la pression sur ta créativité quand un roman repose intégralement sur toi…

– Excuse-moi.

– Oui, Jones ?

– Tu pourrais te taire ? Tu dis des conneries.

– Ah, tu as raison, Jones. Comme toujours. Rappelle-moi quelle culotte tu portais à l'école ? »

Soudain, j'ai un haut-le-cœur.

« Ça va ?

– Je ne suis pas sûre de pouvoir avaler le poisson. Tu crois que je pourrais commander une cheesy potato ?

– Alors là, tu vois, Nobu est un resto japonais, et les cheesy potatoes ne figurent pas parmi ses plats phares, pas plus que les roulés au jambon ni les tourtes au porc. Tu as commandé une délicieuse truite miso mari-née dans les algues et le saké depuis quatre cents ans. Allez, sois gentille et mange. »

Il a fallu que je me concentre si fort pour empêcher la truite de remonter que lorsque le portier m'a installée dans la voiture de Daniel, avec son odeur de cuir neuf, je n'avais toujours pas fait la moindre allusion à l'existence du bébé, qui pourtant bataillait énergiquement avec la truite à l'intérieur de moi.

« Quelle soirée délicieuse », a murmuré Daniel en appuyant sur un bouton du tableau de bord, et la voiture a démarré en trombe.

« Daniel, il y a quelque chose qu'il faut… »

La truite miso est soudain montée à l'assaut de ma gorge.

« D'n'l'rêt la v'ture », ai-je tenté de dire en mettant la main sur ma bouche qui s'emplissait de vomi.

« Je n'ai pas bien saisi, Jones. »

Trop tard.

« Grands dieux, Jones, qu'est-ce qui se passe ? C'est un cauchemar ! C'est l'enfer ! Tu nous rejoues *L'Exorciste* ? » s'est écrié un Daniel décomposé tandis que du vomi jaillissait d'entre mes doigts et giclait sur le cuir gris pâle de sa voiture.

23 h. Mon appart. Mon petit cœur, je suis désolée pour tout ça. Je te promets que je me ferai pardonner. Laisse-moi faire, reste tranquillement où tu es. Je te dirai quand ce sera le moment… Je crois que je ferais mieux d'appeler ton grand-père.

Le club de papa à Londres. C'était un bonheur de voir papa. Je lui ai tout raconté et il m'a regardée avec ses bons yeux pleins de sagesse et m'a serrée dans ses bras. Nous étions assis dans la bibliothèque. Il y avait des cartes et des livres anciens, des mappemondes, un feu de charbon qui faisait plein de suie et des fauteuils en cuir tellement à bout de souffle qu'on les aurait crus en détresse respiratoire aiguë.

« J'ai l'impression d'être une pute défoncée ou l'une de ces bonnes femmes du *Jerry Springer Show*[1] qui raconte qu'elle a couché avec son petit-fils, ai-je dit. Tu veux me toucher le ventre ?

– On n'est souvent pas loin du *Jerry Springer Show* dans la vie, ma chérie, a dit papa en tapotant sa petite-fille embryonnaire. Il m'arrive parfois de me demander si tu es ma fille ou celle de ce jeune pasteur venu faire un remplacement au presbytère il y a quarante ans. »

Je me suis étranglée.

« Je plaisante, ma puce. Mais tu as juste fait ce que quatre-vingt-dix pour cent des gens auraient fait dans ta situation. »

---

1. Émission américaine de téléréalité, où les participants débattent en public de leurs problèmes (drogue, sexe, moralité, etc.) sur un mode souvent agressif et racoleur. (*N.d.T.*)

Nous avons tous deux regardé les vieux messieurs membres du club, qui somnolaient paisiblement dans leurs fauteuils.

« Allons, mettons quatre-vingt-cinq pour cent, a dit papa. Écoute, ma puce, on ne risque jamais de trop se tromper quand on dit la vérité.

– Tu veux que j'en parle à maman ! me suis-je exclamée, horrifiée.

– Ah, peut-être pas encore à ta mère, non. Mais à Mark et à Daniel, dis la vérité et tu verras bien où ça te mène. »

~ **DIMANCHE 15 OCTOBRE**

14 h. Mon appart. Assise par terre, les mains tremblantes, j'ai composé le numéro de Daniel, sentant trois paires d'yeux me transpercer, ceux de Tom, Miranda et Shazzer :

« Ouiiii, Jones, dit Daniel au bout du fil. Est-ce que mon oreille va être aspergée d'une giclée de...

– Daniel, je suis enceinte de seize semaines », je bégaie.

La communication est coupée.

« Il m'a raccroché au nez !

– L'enfoiré ! Chiotte de chiasse d'enfoiré de mes deux ! glapit Shazeer.

– C'est pas humain, même pour un enfoiré ! dis-je,

folle de rage. En tout cas, les hommes et leurs saloperies, c'est fini pour moi. Des irresponsables, nombrilistes... Quelqu'un veut me toucher le ventre ?

– Il va falloir que tu trouves un moyen d'extérioriser ta colère et tes pensées agressives », débite Tom de son ton flippant de psy en me tapotant nerveusement le ventre, comme si le bébé allait en jaillir et lui vomir dessus. « Si tu les écrivais et que tu les brûlais ?

– D'accord », dis-je en me dirigeant vers la table de la cuisine et en prenant un bloc de post-it et des allumettes.

« Non ! hurle Shazzer. Pas de flammes ! Utilise le téléphone !

– Bon, bon, d'accord. »

Je pianote : « Daniel, tu es un égoïste, un pauvre...

– Donne-moi ça, donne », dit Shazzer d'une voix pâteuse en m'arrachant le téléphone.

Elle tape : « Enfoiré d'écrivain raté » et elle clique sur « Envoi ».

« On était censés BRÛLER ça, dis-je, horrifiée.

– Quoi ? Le téléphone ?

– Elle était censée verbaliser ses pensées et sentiments agressifs et les envoyer ensuite dans l'univers, dit Tom. Pas les textoter à l'objet qui les a provoqués... Eh, il ne reste plus de vin ?

– Oh là là. Dire qu'il est peut-être le père de mon enfant à naître.

– Tttt'inquièttt », dit Tom d'une voix pâteuse mais apaisante. « Ça ne lui fera pas de mal d'entendre ça.

– Tom, boucle-la. Bridget, maintenant que tu t'es entraînée, envoie un SMS à Mark », ordonne Miranda.

Ce que j'ai fait. J'ai simplement tapé : « Je voudrais te voir. » Et, à ma grande surprise, il a accepté immédiatement.

∼ DIMANCHE 15 OCTOBRE TOUJOURS

Je me trouvais devant le seuil de la haute maison en stuc blanc où habite Mark à Holland Park, comme tant d'autres fois avant tous ces événements stupéfiants, tristes ou gais, sexuels, sentimentaux, glorieux, désastreux ou dramatiques. La lumière était allumée dans son bureau à l'étage : il travaillait, comme toujours. Qu'allait-il dire ? Me laisserait-il sur le paillasson comme une poivrote ? Serait-il content ? Mais dans ce cas…

« Bridget ! a dit l'intercom. Tu es encore là ou tu as pris la fuite après avoir sonné ?

– Je suis là. »

Quelques secondes plus tard, la porte s'ouvre. Mark est en mode travail sexy : pantalon de costume, chemise déboutonnée, manches roulées et, au poignet, la montre familière.

« Entre », dit-il. Je le suis dans la cuisine. Elle n'a pas changé : un alignement de placards immaculés

91

dont on ne sait lequel est la machine à laver, le placard
à céréales ou la poubelle.

« Alors, comment va la vie ? demande Mark, un peu
crispé. Contente de ton travail ?

– Oui. Et toi ? Je parle de ton travail…

– Oh, absolument. En fait, c'est une horreur. » Il
m'adresse ce sourire de connivence que je trouve irré-
sistible. « Je suis toujours en train d'essayer d'arracher
Hanza Farzad aux griffes de l'émir du Qatar.

– Ah. »

Je regarde le jardin et les arbres dont les feuilles commencent à jaunir, le cerveau tournant à plein régime. Je
veux dire le mien, pas celui des arbres. Les arbres n'ont
pas de cerveau, à moins que vous ne soyez dans la tête
du prince Charles, ou peut-être dans le roman de Daniel
Cleaver. Tout notre avenir dépend des quelques enfants,
je veux dire instants, qui vont suivre. Je repasse dans ma
tête ce que je vais dire. Il faut que je sois subtile, que
j'amène l'information progressivement.

« Toute cette affaire est liée au commerce interna-
tional, évidemment, poursuit Mark. C'est l'éternel problème avec le Moyen-Orient : des couches et des couches
de faux-fuyants, de fourberies, de conflits d'intérêts…

– Pardon.

– Oui ? »

Un silence. Je finis par dire : « Le jardin est très beau.

– Merci. Mais il est affreusement difficile à entretenir
en ce moment à cause des feuilles.

– Sûrement.

– Oui.

– Mmm… Mark ?

– Oui, Bridget ? »

Oh là là ! Seigneur ! Je n'y arrive pas. Je voudrais savourer ces derniers moments où tout est comme avant.

« C'est un marronnier ?

– Oui, c'est un marronnier. Là, c'est un magnolia et là…

– Ah. Et celui-là ?

– Bridget !

– Je suis enceinte. »

Une foule d'émotions passe sur le visage de Mark.

– Enceinte de combien ?

– Seize semaines.

– Le baptême ?

– Tu veux toucher mon ventre ?

– Oui. » Il pose sa main dessus un court instant et dit : « Excuse-moi. »

Il quitte la pièce. Je l'entends monter à l'étage. Que va-t-il faire ? Redescendre avec les papiers pour m'intenter un procès ?

La porte s'ouvre à la volée.

« C'est la nouvelle la plus merveilleuse que j'aie reçue de toute ma vie. »

Il traverse la pièce et me prend dans ses bras. Son odeur familière, son contact rassurant me submergent.

« C'est… J'ai l'impression que des nuages se dissipent. »

Il m'éloigne à bout de bras et je vois la tendresse dans ses yeux marron.

« Quand on a eu une enfance… Quand on a… Je n'ai jamais réussi à croire que l'amour pouvait se traduire dans une vie domestique. Qu'on pouvait créer pour élever un enfant un foyer différent… – il a l'air d'un petit garçon – … différent de celui où l'on a grandi. »

Cette fois, c'est moi qui le prends dans mes bras en lui caressant les cheveux.

« Alors, voilà », dit-il en se dégageant avec son incroyable sourire, « le sort en a décidé pour nous dans un moment de… passion sans mélange. Et je suis le plus heureux des hommes. »

On frappe à la porte et Fatima, la femme de charge de longue date, apparaît. « Oh ! dit-elle avec un large sourire. Miiiiiss Jones ! Vous êtes revenue ? Mr. Darcy, la voiture vous attend.

– Oh mon Dieu. J'avais complètement oublié. J'ai un dîner du barreau…

– Aucun problème, Mark, tu avais dit que tu avais un dîner.

– Mais la voiture peut… on peut te déposer.

– J'ai la mienne, c'est bon.

– Demain, on se voit demain soir ?

– D'accord. »

19 h. Chez moi. C'est insupportable. Je suis enceinte, Mark veut un bébé et si je n'avais pas couché avec Daniel aussi, on nagerait en plein conte de fées et on serait tous très heureux, mais… Oh là là. Mark et moi ne prenions pas toujours de précautions, et pourtant… donc c'est peut-être Daniel qui m'a mise enceinte.

Saloperies de capotes à dauphins. Mais aussi, je ne serais pas enceinte si je n'avais pas essayé d'éviter aux dauphins d'avaler des préservatifs non dissous. Alors en fait, je devrais remercier les capotes, si seulement ce bébé déjà ami-des-dauphins pouvait me dire qui est son géniteur ami-des-dauphins.

Tout est de ma faute. Mais Daniel est si drôle, si charmant. Ces deux-là sont comme les deux moitiés de l'homme parfait, et chacun passera le reste de sa vie à chercher à dégommer l'autre. Une affaire qui, pour l'instant, se joue dans mon ventre.

19 h 15. Les toilettes sont vraiment une invention formidable. C'est stupéfiant d'avoir chez soi cet article qui fait disparaître calmement, proprement et efficacement le vomi. Adore les merveilleuses toilettes. Fraîches, solides, calmes et fiables. C'est parfait d'être couché avec ça à proximité. Peut-être que ce n'est pas Mark que j'aime, mais les toilettes. Oh, chic, téléphone ! Peut-être Mark qui me demande comment je vais ? Vais peut-être lui raconter toute l'histoire. Peut-être qu'il me pardonnera.

20 h. C'était Tom. « Bridget, est-ce que je suis une Personne Horrible ?

– Tom ! Non, tu es quelqu'un d'adorable ! »

Voici ce qui avait provoqué le Syndrome de la Personne Horrible : Tom avait vu une « connaissance » (NB : un type qu'il avait baisé une fois), Jesus, dans la file au snack de son club de gym ; il était allé lui dire bonjour et lui avait demandé de lui commander un smoothie à l'herbe de blé.

« Alors tu vois », a enchaîné Tom, suivant son idée, « la perspective de couper la queue m'avait effleuré avant que je décide d'aller saluer Jesus. Je fais donc partie de ces gens qui froidement, cyniquement, essaient de profiter des autres, par exemple en filant aux toilettes pour éviter de payer une tournée au pub.

– Mais ce que tu ne vois pas, Tom, et qui est plus important », ai-je embrayé – heureuse d'échapper un moment à mon merdier personnel tout en me doutant bien que Tom se souviendrait tôt ou tard dudit merdier et se dirait qu'il était une Personne Horrible pour avoir oublié de me demander où j'en étais –, « c'est que c'est gentil d'aller saluer un ami. Rejoindre Jesus pour prendre un verre avec lui au club de gym est bien plus sympa que de le laisser tomber et de retourner prendre ta place en bout de queue.

– Sauf que je l'ai quand même laissé tomber pour aller boire le smoothie à l'herbe de blé avec Eduardo, parce qu'il est plus sexy. Tu vois bien que je suis une Personne Horrible ! »

Mon esprit tournait à plein régime pour essayer de transformer la minuscule gaffe gay en acte de gentillesse gratuite, mais Tom a brusquement interrompu mes réflexions en disant : « D'accord. J'ai capté. Je suis une Personne Horrible. Salut. » Le téléphone s'est remis à sonner.

« Oh, allô, ma chérie, je t'appelais juste pour te demander ce que tu voudrais pour Noël ? » – ma mère. Je flirte brièvement avec l'idée de mettre les pieds dans le plat en demandant une poussette Bugaboo, mais je me doute qu'elle appelle pour me parler de tout autre chose. « Bridget, tu ne viendrais pas à la répétition de la visite de la reine le 28 ? Mavis n'arrête pas de se gargariser avec les valeurs familiales et de me lancer des petites piques parce que je n'ai pas de petits-enfants, et elle essaie de me faire croire que je n'en ai pas fait autant qu'elle pour le village pendant toutes ces années, ce qui n'est pas le cas, hein, ma chérie ?

– Bien sûr que non, maman. Pense au temps que tu as passé dans la cuisine ! Aux cornichons ! dis-je d'une voix encourageante, mais sentant monter la nausée. Aux œufs à l'écossaise ! Aux pavlovas à la framboise !

– Oui ! Au saumon à la King ! Tous ces saumons ! »

Aarghh ! « Tu as été un pilier de la vie du village, maman, dis-je. Tu vas la défoncer, cette Mavis ! »

(La défoncer ? D'où je sors ça ?)

«Merci, ma chérie. Oooh, faut que je te laisse ! Le jambon à l'ananas est toujours dans le four.»

Je me remets juste de ma dernière nausée et j'étreins ma cuvette de toilettes bien-aimée quand le téléphone sonne à nouveau.

Tom : «J'ai oublié de te demander comment ça s'était passé avec Mark. Tu vois ? Je suis une Personne Horrible. Même pas digne de te parler. Au revoir.»

Je regarde le téléphone, perplexe, puis me mets à penser au bébé et décide de mettre une cheesy potato au micro-ondes.

21 h. Et voilà, petit ange : cheesy potato.

Il faut dire la vérité, hein ? C'est l'une des choses qu'il faut toujours faire. Même si ça demande beaucoup de courage. Même si on n'en a pas vraiment envie.

~ **LUNDI 16 OCTOBRE**

Toute la maison de Mark a été transformée en comité d'accueil pour le bébé, avec fleurs, fournitures pour bébé et une banderole en travers de la cuisine disant FÉLICITATIONS, BRIDGET.

Fatima s'affaire, radieuse. Elle m'a serrée contre elle et a quitté la pièce avec sa discrétion habituelle.

«Il ne faut pas que tu portes quoi que ce soit, dit Mark, prenant mon sac à main. Assieds-toi les pieds en l'air.»

Il m'installe sur un tabouret de bar et essaye de soulever mes pieds pour les mettre sur un autre tabouret. Nous éclatons de rire.

« Regarde ce que j'ai descendu du grenier pour le bébé. Un truc que j'adorais. Regarde ! »

Une vieille voiture Scalextric trône dans le living, au milieu des divans et des fauteuils confortables.

Je ris en refoulant mes larmes. « Peut-être qu'elle ne sera pas tout de suite prête à jouer avec ça, mais… »

Mark bondit vers le réfrigérateur. « Regarde ce que j'ai là-dedans ! »

Deux paquets de couches.

« Je me suis dit que c'était là qu'il fallait les ranger, pour qu'elles tiennent son petit derrière bien au frais. Non ? Je m'entraîne. Tu vas venir t'installer ici, bien sûr ? On sera tous les trois ? C'est comme si on nous avait donné une deuxième chance. Une deuxième chance pour démarrer notre vie ! »

J'entends les mots de papa se répéter dans mes oreilles : « On ne risque jamais de faire fausse route en disant la vérité. »

« Mark. »

Le ton de ma voix le fait s'arrêter net.

« Quoi donc ? Qu'est-ce qui ne va pas, Bridget ? Le bébé ? Il y a un problème ?

– Non, non. Le bébé va très bien.

– Ah, ouf !

– C'est juste… qu'il y a une petite complication.

– D'accord, d'accord. Il y a une solution à tout. C'est quoi ?

– Tu sais, après le baptême, je me suis vraiment sentie très mal quand tu m'as dit que tu ne voulais pas qu'on se remette ensemble et que tu ne voulais pas monopoliser ce qui me restait d'années fécondes…

– Je suis vraiment désolé. Crois-moi, j'ai eu vraiment honte, et je me demandais si je devais reprendre contact avec toi. Je me suis laissé influencer par Jeremy. Il m'a arrêté dans le couloir de l'hôtel, quand je suis sorti pour aller chercher le petit déjeuner, et il m'a dit que c'était très mal de ma part de m'amuser avec toi à ce stade de ta vie si je n'étais pas absolument certain de pouvoir envisager une relation stable et de t'épouser. À ce moment-là, je n'étais pas encore remis de mon divorce et j'ai trouvé que moralement, si je voulais être responsable, je devais… »

Je ferme les yeux. Pourquoi est-ce que je n'arrive pas à me sentir un peu plus sûre de moi, à ne pas fuir au premier signe de rejet ? À comprendre qu'il faut peut-être chercher l'explication un peu plus loin que le fait qu'on me trouve trop vieille, trop grosse ou trop bête ?

« J'ai eu l'impression de ne pas faire le poids, dit-il. De ne pas être à la hauteur de la tâche. Mais maintenant…

– Moi, je me suis sentie vraiment blessée.

– Je te demande pardon, Bridget.

– J'ai eu l'impression d'être si vieille, tu vois, que je…

– Mais pas du tout. C'est moi qui me sentais très vieux. Qu'est-ce que tu as fait ?

– C'est un orme, cet arbre-là ?

– Bridget.

– J'ai couché avec Daniel Cleaver.

– Le même JOUR ?

– Non, non. Quelques jours plus tard. J'avais l'impression que ma vie sexuelle allait se terminer, et lui, il m'a dit que j'avais l'air si jeune qu'il ne savait pas s'il devait m'épouser ou m'adopter, et tous mes amis me disaient "Allez, remonte en selle", et…

– Tu étais protégée dans les deux cas ? »

Mark ouvre et ferme les placards en inox.

« Oui, mais c'étaient des préservatifs écolos. En fait, je me suis aperçue qu'ils étaient périmés et qu'ils se dissolvent à cause des dauphins. »

Il ouvre une autre porte en inox immaculée et tout un bric-à-brac dégringole : papiers, photographies, vieilles chemises, crayons, brochures. Il essaye de tout remettre à l'intérieur et ferme la porte dessus d'un geste définitif. Je vois ses épaules se raidir et il se retourne vers moi.

« Oui. Non. Je vois clairement comment tout cela s'est passé. Pas la peine de m'expliquer. »

Il ouvre un autre placard, trouve une bouteille de scotch et s'en verse un verre.

« Peux-tu savoir ? Je veux dire, techniquement : établir la paternité, déterminer qui est le père ? » demande-t-il entre deux gorgées de whisky.

« Pas sans risquer la vie du bébé.

– Quand même...

– Je sais. Mais je ne vais pas courir ce risque. Une aiguille géante. C'est horrible. »

Il se met à arpenter la pièce, extrêmement agité. « Oui, oui, bien sûr. Je comprends. Cela expliquerait pourquoi, quand nous n'avons pas pris de précautions... » Puis il se tourne vers moi, maître de lui, glacial. « J'imagine que tu veux te coucher de bonne heure.

– Mark. Non. C'est peut-être notre enfant. Il y a cinquante pour cent de chances, en tout cas.

– C'est gentil de le dire.

– Il suffit de quelques instants, une impulsion, une mauvaise décision.

– Oui, je sais. Je vois ça tous les jours dans ma vie professionnelle. C'est tragique. La vie dépend d'un pile ou face. Mais je ne veux pas que ça se produise dans la mienne, tu vois.

– Je regrette, je regrette infiniment.

– C'est la vie. Il faut jouer avec la donne qu'on a. Voilà. »

Il n'y a rien à tirer de lui quand il est dans cet état. Il m'a reconduite en silence à ma voiture et j'ai pleuré pendant tout le trajet de retour.

Sept

La danse des tarés

20 h. Chez moi. « C'est foutu. Je suis une idiote. Tout est de ma faute. Il ne me pardonnera jamais.

– Euh, excuse-moi, il a joué son rôle dans cette affaire, dit Miranda.

– Il couche avec toi, putain, et il te jette, ce con ! glapit Shaz.

– Il n'était pas obligé d'être aussi salaud.

– Chérie, tu connais la psychopathologie de Mark, murmure Tom d'un ton pensif. Il a tendance à l'évitement. Il fait un repli émotionnel au premier signe de douleur. Il va revenir.

– Je ne crois pas. Prends les fiançailles, tiens ! Je ne comprends pas comment j'ai pu être assez… »

Signal de SMS sur mon portable.

DANIEL TARÉ NE PAS RÉPONDRE

(J'ai récemment réactualisé mon carnet d'adresses.)

Tout le monde a sursauté et louché sur mon téléphone, comme s'il contenait le message d'un dieu égyptien transmis par le soleil du matin filtré par un petit trou dans une pyramide et arrivant pile sur une amulette.

DANIEL TARÉ NE PAS RÉPONDRE
Jones, désolé de la coupure du téléphone
l'autre jour. Je peux venir ?

Suit un autre SMS.

DANIEL TARÉ NE PAS RÉPONDRE
Bien entendu, je mettrai des Wellington et
une combinaison plastique intégrale.

« REFUSE ! dit Miranda, catégorique. Eh, on n'a plus de vin ?

– Je ne peux pas refuser de le voir, il est peut-être le père de mon…

– Il faut que tu le voies, dit Tom d'un ton pénétré. Mais SSSURTOUT, pas coucher, hein !

– 'A va encore tomber enceinte.

– De chumeaux, chuinte Shaz.

– De jumeaux mouchetés », grogne Miranda.

19 h. Chez moi. Daniel est apparu sur le palier avec un élégant bouquet de fleurs enveloppé dans un papier marron branché et noué avec du raphia.

« Allons, Jones, ne t'inquiète pas. Je vais m'occuper de tout.

– Ah bon ? dis-je, soupçonneuse, en le faisant entrer.

– Bien entendu, Jones. Je n'ai peut-être pas toujours été parfait dans le passé, mais dans les moments critiques, je sais me conduire en gentleman.

– Très bien », je réponds, reprenant espoir, et je les regarde s'affaler sur le canapé, lui et son costume impeccable.

« Oh non, Jones ! Dis-moi que ce n'est pas du chocolat ? s'écrie-t-il en ôtant ce sur quoi il vient de s'asseoir.

– Désolée !

– Bon, alors je continue : dis-moi où je te retrouve et je viendrai te soutenir et je paierai tout.

– QUOI ?

– Tu ne vas pas le garder, quand même ? Aïe, aïe, aïe, désolé. J'ai pensé que vu la situation…

– Bon, ça suffit ! Dehors ! » dis-je en le poussant vers la porte. « Oh, et puis encore un petit détail, Daniel. L'enfant n'est peut-être pas de toi.

– Pardon ?

– Le bébé n'est peut-être pas de toi. Il est peut-être de Mark Darcy. »

Il faut quelques instants à Daniel pour assimiler la nouvelle, puis son œil se met à briller et il demande : «C'était qui, le premier, lui ou moi ?

– Daniel ! Tu ne crois pas qu'il y a mieux à faire qu'à raviver ton éternelle querelle d'ados avec Mark ?

– Jones, Jones, Jones, pardon ! Tu as raison. »

Il revient dans l'appartement avec un soupir théâtral et fait mine de reprendre ses esprits.

«Je tiens absolument à être là pour toi, à me racheter, à venir à l'échographie, tout ce que tu voudras.

– Toi, venir à l'échographie ! Je rêve !

– Mais si.

– Mais non.

– MAIS SI !

– Mais non ! Tu auras un rancard avec un mannequin pour lingerie de dix-huit ans et tu me planteras.

– Je viendrai à l'échographie.

– Tu parles !

– C'est comme si c'était fait. Ce n'est pas toi qui vas m'empêcher d'assister à l'échographie de mon enfant. Bon, eh bien, Jones, il faut que je file. J'ai un… j'ai un…

– Rendez-vous ?

– Non, non, non, une réunion éditoriale. Envoie-moi un SMS pour me dire le jour et l'heure et je serai là avec une blouse et des gants en caoutchouc. »

20 h 10. Me suis assise, fixant le vide d'un air hébété, un œil fermé et l'autre ouvert. Est-ce que c'était juste l'expression de la rivalité entre lui et Mark Darcy ou Daniel a-t-il vraiment envie d'être père ?

J'ai repensé à l'époque où je sortais avec (traduction : où je me faisais malmener par) Daniel, où ma vieille amie Jude (maintenant un crack de la finance à Wall Street) se faisait malmener par Richard le Cruel et que Shazzer commençait à déblatérer sur le syndrome du taré qui, à l'en croire, se propageait comme une traînée de poudre chez les mâles trentenaires.

20 h 20. Viens de regarder dans mon journal les tirades de Shazzer.

Quand les femmes passent de la vingtaine à la trentaine, il se produit un subtil glissement dans le rapport de forces. Les garces les plus effrontées perdent leur assurance, victimes des premiers symptômes d'angoisse existentielle : la peur de mourir seules et d'être découvertes trois semaines plus tard, à moitié dévorées par leur berger allemand. Et les hommes comme Richard le Cruel profitent de ce défaut dans la cuirasse pour se tirer d'affaire : aucun engagement, aucune maturité, aucun sens de l'honneur, plus aucune relation normale entre hommes et femmes.

On peut difficilement considérer que ce que venait de dire Daniel représente la progression naturelle des choses entre un homme et une femme.

Mais se peut-il que des tarés comme Daniel VEUILLENT des enfants ? Ils ne doivent pas pouvoir surmonter leur syndrome du taré au point de prendre une décision, si ?

Ce qu'il y a de bizarre dans tout ça, c'est que pendant toutes mes années de trentenaire, j'ai cru que les enfants sont quelque chose qu'on n'obtient qu'en coinçant les hommes. Et qu'il faut presque faire semblant de ne pas en vouloir pour garder un homme, sinon il part en courant.

Peut-être que c'est la différence entre des Célibattantes comme Miranda, Shazzer et moi, et des Mariées-fières-de-l'être comme Magda. Les Mariées-fières-de-l'être n'éprouvent jamais ce sentiment d'insécurité, d'ambivalence. Elles font le plus tôt possible un choix réaliste et une transaction leur assurant un style de vie équilibré, sans jamais envisager une seconde qu'un homme ne VEUILLE pas avoir d'enfants avec elles.

20 h 30. Enhardie par ma nouvelle révélation, même si je ne sais pas vraiment en quoi elle consiste, j'envoie un SMS à Mark.

```
Mark, Je comprends à quel point c'est com-
pliqué, mais j'ai une échographie lundi
```

23 octobre à 17 h, et si tu voulais y assister, cela me ferait très plaisir.

20 h 32. Regarde fixement téléphone muet.

20 h 33. Pas de réponse de Mark.

20 h 34. Toujours pas de réponse de Mark.

20 h 35. Et s'il répond oui ? Qu'est-ce que je fais pour Daniel ? Et si je dis à Mark que Daniel veut venir et qu'il maintient ? Et si je ne dis rien à Mark en partant du principe que Daniel ne se pointera pas, et que Daniel se pointe ?

20 h 45. Me rends compte du nombre de fois dans ma vie où j'ai rêvé d'aller passer une échographie avec Daniel ou Mark. Mais pas avec les deux en même temps.

21 h. Bien. Des brocolis. Nous mangeons trop de cheesy potatoes et nous avons besoin de passer à des groupes d'aliments différents. Les brocolis sont des aliments polyvalents appartenant à deux catégories à la fois, comme les grenades.

21 h 30 : Bébé déteste les brocolis. Vais manger cheesy potatoes.

22 h. Toujours pas de SMS de Mark.

18 h. Studios de *Sit Up Britain*. «*Sit Up Britain !*» a dit Miranda à la caméra, de son ton convaincu de présentatrice, «le programme d'actualités sans concessions qui vous laisse chié.»

BONG.

«J'ai pas chuinté sur "scié"?» s'inquiète Miranda tandis que se dévide la séquence d'ouverture des reporters parcourant le globe avec des mines toujours aussi déterminées.

«Si», je chuchote dans son oreillette, en jetant un coup d'œil alentour pour m'assurer que Peri Campos ne nous observe pas.

«Ce titre est imprononçable, de toute façon», dit Miranda en levant les yeux vers la caméra pour surveiller son téléprompteur. «Franchement, quel genre de monstre ne répondrait pas à un SMS l'invitant à une écho?

– Peut-être qu'il est en réunion?

– Pendant QUATRE JOURS ! Qu'il aille se faire foutre. Et maintenant – les bibis ! Vont-ils remplacer les boucles d'oreilles?»

BONG.

«Bordel ! Qui a écrit ces conneries ? Qui porte deux chapeaux?

– C'est Peri Campos qui l'a écrit », je siffle pendant que défilent des photos des têtes ornées de bibis de Camilla, Kate, la princesse Beatrice et Eugénie. « Assistée des jeunes à chignon qui disent "wow" et "gros".

– Beurk, dit Miranda. Vas-y avec Daniel, grosse.

– Mais sa première réaction a été de vouloir me faire avorter.

– Au moins, il est prêt à mouiller sa chemise maintenant, et c'est un coup régulier, lui, grosse. Et les émeutes au Maghreb atteignent maintenant l'ambassade d'Angleterre. »

BONG.

« Oh là là, Bridge ! Regarde ce clip ! » Vision d'une foule de longues tuniques blanches se déversant autour d'un palais en terre battue rouge, puis, à l'arrière-plan, derrière des gens qui hurlent, on voit un homme traverser la foule avec Freddo, son assistant d'Oxbridge : Mark Darcy.

21 h. Chez moi. Me sens beaucoup mieux depuis que je connais la raison du silence de Mark Darcy. Ai lu *Qu'attendre quand on attend* et *Il nous faut plus d'aliments polyvalents.* Suis en train de faire des muffins polyvalents, avec des brocolis. Ai trouvé la recette dans un livre de cuisine rempli d'idées ingénieuses pour faire manger des légumes aux enfants. Ensuite, vais préparer une mousse au chocolat avec des avocats.

21 h 15. Merde, merde, ai juste voulu attraper un verre en haut du placard et l'ai fait tomber. Il y avait un gros bout de verre dans la pâte des muffins, mais je l'ai retiré. Ça devrait aller.

22 h. Toujours pas de SMS de Mark. À tous les coups, je vais me retrouver avec Daniel. Ou plus vraisemblablement, toute seule. Oh, chic, texto.

> DANIEL TARÉ NE PAS RÉPONDRE
> Toujours partant pour le grand jour, Jones. À demain.

~ **LUNDI 23 OCTOBRE**

16 h. Cabinet du Dr. Rawlings. « Ah, c'est le papa ? » Le Dr. Rawlings, très affairée, entre dans la pièce, nous jetant un regard malicieux à Daniel et à moi. « Je suis contente de voir enfin qui vous êtes. Bon, on y va ? »

Elle relève mon T-shirt, dévoilant mon ventre.

« Seigneur, Jones, dit Daniel. On dirait un boa qui a mangé une chèvre.

– Attendez », dit le Dr. Rawlings qui s'est arrêtée, la sonde à ultrasons en l'air, esquissant un sourire incrédule à l'adresse de Daniel. « Je reconnais cette voix. Vous faites de la télévision, non ? Ce n'est pas vous qui présentiez une émission de voyages ?

114

– Ouiii, *Suivez le guide* », murmure Daniel.

Le Dr. Rawlings se met à battre des cils et à glousser.

« Daniel Cleaver ! *Suivez le guide !* On a-do-rait cette émission. On ne ratait pas une semaine. On a pleuré de rire quand vous vous êtes roulé dans la boue avec ces filles en Thaïlande.

– On pourrait regarder le bébé, s'il vous plaît ? » dis-je en pensant : on n'échappe vraiment nulle part au culte de la célébrité.

« Oh là là, quand je vais raconter ça ! poursuit le Dr. Rawlings. Vous allez me donner un autographe, j'espère ? » Elle a posé la sonde et se met à chercher une feuille de papier. « Voilà. Mon ordonnancier. Parfait. Mettez quelque chose de drôle. »

Je vois une lueur espiègle s'allumer dans l'œil de Daniel. Oh mon Dieu. Il ne va pas dessiner un pénis, ou un truc du même genre ?

« Et vous faites quoi maintenant, Daniel ? Vous avez d'autres projets d'émissions ?

– Je sors un roman, dit-il en écrivant sur l'ordonnancier.

– Oh, super ! Il est drôle ?

– Non, non, pas du tout, en fait. C'est très littéraire. Il s'intitule *La Poétique du temps.* Il s'agit d'une étude existentielle de…

– Bien ! Au travail maintenant », dit le Dr. Rawlings, que *La Poétique du temps* gonfle manifestement encore plus vite que moi.

Elle jette un coup d'œil sur ce que Daniel a écrit pour elle et s'écroule de rire.

« Ah là là », dit-elle en s'essuyant les yeux et en commençant à m'étaler du lubrifiant sur le ventre comme si elle passait la serpillière.

« Ouaouh ! dit Daniel. Vous ne pourriez pas me faire la même chose après, docteur ? Ma ceinture me serre de plus en plus ces derniers temps. Je crains sérieusement d'avoir quelque chose qui grossit là-dedans. »

Voyant le Dr. Rawlings s'étouffer de rire à nouveau, je lance sèchement : « C'est ton pénis, Daniel.

– Bien, calmez-vous, Bridget, maintenant, calmez-vous.

– C'est à MOI de me calmer ?

– Chut ! On écoute son cœur. »

Elle monte le son de la machine et une pulsation assourdissante retentit. Daniel a l'air de flipper carrément.

« Tout va bien là-dedans ? On dirait un TGV lancé à pleine vitesse.

– En pleine forme. Bon ! Regardons l'écran. Oh, voilà sa petite main ! Regardez. Et, oh, voilà le pénis ! »

Je me dresse comme un ressort.

« Un pénis ? Elle a un pénis ? Ma petite fille a un pénis ? »

Curieusement, j'étais absolument sûre que le bébé était une fille. Parce qu'une mère, bien entendu, ça sait !

« Oui, on le voit là. Il a une bonne taille.

– Tel père, tel fils, ronronne Daniel.

– Mais je ne veux pas d'un grand pénis dans mon ventre !

– C'est la première fois que je t'entends dire ça, Jones. Oh, regardez, il se frotte le nez avec ses petites mains.

– Oh, il essaie de dire bonjour, dis-je. Coucou, chéri. C'est maman. C'est ta maman, coucou ! »

L'émotion me submerge. C'est la chose la plus merveilleuse que j'ai vue de ma vie. À l'exception de la dernière écho, qui était aussi la chose la plus merveilleuse que j'avais vue.

Je regarde Daniel et je constate que lui aussi a le souffle coupé par l'émotion. On dirait qu'il va pleurer. «Jones, dit-il, cherchant ma main à tâtons, c'est notre petit garçon. »

Nous avons quitté le cabinet médical dans la Mercedes fraîchement nettoyée de Daniel, dont l'intérieur gris clair sentait encore vaguement le vomi. Daniel conduisait avec une lenteur incroyable, tant et si bien que les voitures klaxonnaient en nous dépassant.

« Si tu allais un tout petit peu plus vite ? » ai-je suggéré. J'ai eu aussitôt l'impression que je passais brusquement d'un personnage du *Jerry Springer Show* à la Mariée-fière-de-l'être qui critique sournoisement la façon de conduire de son mari.

Daniel a appuyé sur l'accélérateur, est passé sur un ralentisseur et a freiné.

« Oh là là ! Oh là là ! Il n'est pas tombé ? Il va bien ? Bon Dieu, Jones, enlève cette ceinture. Enlève cette ceinture, elle va lui écraser la tête.

– Oh non ! Tu crois ? » me suis-je écriée en déclipsant la ceinture. « On l'a écrasé ? Mais comment allons-nous le ramener à la maison si je ne peux pas mettre la ceinture ? »

Nous nous sommes regardés, paniqués comme des gamins de sept ans.

Nous sommes rentrés tant bien que mal. Pendant le trajet, j'ai tenu la ceinture loin de mon ventre et Daniel est devenu de plus en plus silencieux.

Quand nous nous sommes arrêtés, j'ai ôté la ceinture le plus doucement possible, avec un luxe de précautions pour éviter qu'elle ne s'enroule trop vite et n'écrase le bébé.

« Ne m'attends pas, monte, a dit Daniel. Je vais garer la voiture. Vérifie que ton téléphone est branché au cas où il se passerait quoi que ce soit. »

J'ai sorti mon portable pendant que Daniel s'éloignait dans un grand ronflement de moteur, me souvenant que je l'avais éteint pendant l'examen, et j'ai trouvé une série de SMS de Mark.

MARK DARCY
Bridget, je reprends juste l'avion pour
Heathrow et j'ai eu tes messages. L'échogra-
phie est-elle toujours prévue aujourd'hui?
J'essaierai de venir si on atterrit à l'heure.

MARK DARCY
Viens d'atterrir. Vais me dépêcher. Où est
l'échographie?

MARK DARCY
À quel hôpital es-tu?

MARK DARCY
S'il te plaît, Bridget, ne boude pas. J'étais
en Afrique du Nord sans réseau pendant quatre
jours.

Tandis que je me dirige vers mon immeuble à pas très précautionneux pour éviter que le bébé ne se décroche, je vois s'avancer en sens inverse une silhouette familière, en pardessus sombre.

« Mark ! » je m'exclame en pressant le pas.

Son visage se fend d'un large sourire. « Je ne te trouvais pas. Tu n'as pas eu mes messages ? Comment ça s'est passé ? »

J'entends des pas derrière moi.

« Darcy ? Qu'est-ce que tu fous ici ? dit Daniel. On revient juste de l'échographie, pas vrai, Jones ? »

Il essaie de me passer un bras autour des épaules. Je

réussis à me dégager en me tortillant mais, à ma grande horreur, il sort le cliché de l'échographie et le montre à Mark.

« Qu'est-ce que tu en dis ? Joli petit diable, hein ? »

Mark ne regarde pas la photo. « Je serais venu, mais j'étais au Maghreb.

– Ah oui, je connais bien, dit Daniel. Le petit club de danse du ventre de Old Compton Street ? »

Mark s'avance vers lui, menaçant.

« Eh là, tu vas déranger ta mise en plis, Darcynette. »

– Arrêtez ! Ne vous battez pas comme des gamins. J'en ai déjà un dans le ventre.

– Tu as raison, dit Mark. Il faut qu'on discute de tout ça tranquillement, en adultes. On peut entrer ?

– Si seulement on avait pensé à poser cette question avant », soupire Daniel.

Chez moi. « Quelqu'un veut une tasse de thé ? » je demande d'un ton avenant, comme si j'étais ma mère à Grafton Underwood et que le pasteur venait prendre un verre de sherry et des cupcakes.

Les deux hommes se regardent en chiens de faïence, on dirait deux candidats à la présidence tout prêts à s'infliger une torchée en règle sous le mince prétexte d'un débat.

« Darce, commence Daniel d'un ton aimable, je comprends à quel point tu dois te sentir humilié dans ta virilité, surtout après toutes ces années où le bruit courait que tu tirais des coups à blanc. »

Mark entreprend de le pousser vers le balcon.

« Darcy ne peut pas la mettre au garde-à-vous, chantonne Daniel.

– Mais qu'est-ce que tu FABRIQUES ? je demande à Mark qui a poussé Daniel dehors et vient de refermer la fenêtre.

– Peut-être qu'il va sauter, marmonne Mark.

– Oh, vous allez arrêter de vous chercher, tous les deux ! Les enfantillages, ça suffit ! J'ai l'impression d'avoir deux mômes, dis-je en m'activant pour préparer le thé. Mark, laisse rentrer Daniel. »

Je me suis littéralement transformée en Magda et je suis sur le point de dire : « Maman va taper, elle va taper, elle va taper. »

« Des enfantillages ? dit Daniel en revenant du balcon. Tu es gonflée, toi qui as couché avec deux hommes à intervalles si rapprochés que c'est digne d'un membre de la génération Z. »

Je m'assieds avec lassitude à la table de la cuisine. C'est comme ça que ça se passera quand je serai mère. Je serai là, à préparer des repas et à me crever pendant qu'ils se chamailleront et se bagarreront. Brusquement, je me souviens que j'ai oublié de brancher la bouilloire. Peut-être vais-je pouvoir servir mes muffins polyvalents ?

« Ben, la situation n'est pas idéale, loin de là, dit

Mark. Mais c'est peut-être pour nous l'occasion de reconsidérer nos actes et nos responsabilités pour agir au mieux dans l'intérêt de…

– Très bien, parfait, ma révérende mère. Est-ce que l'un de nous doit maintenant se mettre à chanter *"Jésus, reviens !"* ?

– Le thé est prêt ! je gazouille. Et j'ai des muffins maison ! »

Et là, Daniel et Mark se regardent, tous deux plus alarmés par cette nouvelle que par tout ce qui s'est passé jusque ici.

Nous nous sommes assis tous les trois à la table de la cuisine et avons essayé d'avaler les muffins polyvalents – infects, je le reconnais.

Soudain, Mark s'étouffe. Il sort de sa bouche un gros morceau de verre.

« Qu'est-ce que c'est que ça ?

– Oh, merde ! J'ai cassé un verre pendant que je préparais la pâte. Je croyais avoir tout enlevé. Ça va aller ? »

Daniel se lève d'un bond et crache son muffin dans l'évier. Il en a extrait un autre morceau de verre qu'il brandit. « J'ai l'impression de voir ma vie se désintégrer sous mes yeux. C'est ça, être parent ? Du vomi dans ma voiture ? Du chocolat sur mes costumes ? Des muffins aux brocolis et aux éclats de verre dans mon estomac ?

– Je suis désolée, absolument désolée. Je croyais avoir

enlevé l'intégralité du verre. J'ai vraiment tout foiré. Je ne suis pas à la hauteur. »

Et je m'effondre sur la table, la tête sur les bras. Je voudrais que tout s'arrête. Sauf le bébé.

Mark s'est approché et m'entoure de ses bras. « Ce n'est pas grave. Ne t'inquiète pas. Tu te débrouilles comme un chef.

– Le fait est que tu ne nous as pas tués, dit Daniel en nettoyant l'évier frénétiquement. Sauf si de la poudre de verre est en train de nous perforer l'intestin.

– Le fait est que nous avons tous vécu une expérience de mort imminente, dit Mark en se mettant à rire.

– Alors maintenant, on peut tous se serrer les coudes et arrêter de se tirer dans les pattes.

– Exerçons-nous à pousser, plutôt », dit Daniel.

Nous nous sommes tous les trois installés à boire notre thé gentiment, comme ces familles bien élevées qu'on voit dans les vieux films des années cinquante. Rien à voir avec les programmes de télé contemporains où les enfants balancent à leurs parents gays des répliques insolentes et légèrement insultantes écrites à Hollywood par des panels de scénaristes sophistiqués.

Soudain je me redresse :

« Et nos parents ?

– Il faut le leur annoncer, bien évidemment », dit Mark.

Oh là là ! Le village ! Grafton Underwood ! L'amiral et Elaine Darcy ! Maman, Una et Mavis Enderbury !

« Les parents ? répète Daniel.

– Oui, reprend Mark. Tu as bien des parents ?

– Pas à qui je vais annoncer ça, non.

– Intéressant. Samedi prochain, c'est la répétition pour la visite de la reine, Bridget. J'ai cru comprendre que tu avais l'intention d'y aller.

– Tu veux dire qu'on devrait le leur annoncer à cette occasion ? je réponds, horrifiée.

– Chacun à ses parents et en privé, bien entendu.

– Ça ne se voit pas encore que je suis enceinte, hein ? Je ne peux pas aller au village si tout le monde doit le remarquer. »

Il y a un léger silence, puis ils disent :

« Non.

– Vraiment pas.

– Insoupçonnable.

– Je crois vraiment que le bébé va naître plat comme une limande, Jones. »

Huit

Valeurs familiales

Grafton Underwood : répétition pour la visite de la reine. « Les valeurs familiales », mugit l'amiral Darcy, le père de Mark, dans le micro.

Tout le village est rassemblé avec le lord-maire et des représentants du Palais venus vérifier les lieux.

« Les valeurs familiales et la vie de village seront nos thèmes », poursuit l'amiral de sa voix de stentor. « Car, pour la première fois de son histoire millénaire, la Pierre d'Ethelred et son gracieux vestibule, le village de Grafton Underwood, reçoivent la visite d'un monarque régnant au milieu de nos toits enchaumés ! »

« "Nos toits enchaumés", glisse oncle Geoffrey beaucoup trop fort. Il n'est pas déjà imbibé, quand même ? »

Je jette un coup d'œil à Mark, de l'autre côté du groupe : il s'efforce de garder son sérieux. Nous sommes venus dans sa voiture avec chauffeur, mais je suis descendue la première, tout près de la maison de maman, pour éviter que l'on nous voie arriver ensemble. Nous ne voulons pas d'emblée prendre les gens à rebours.

«Et aujourd'hui, poursuit l'amiral, nous sommes très honorés d'avoir parmi nous l'assistant du lord-lieutenant du comté de Northampton venu approuver nos projets pour la visite de Sa Majesté et nous servir de guide pour le protocole du comité de la réception, ainsi que pour le plan de table.

– Amiral», dit Mavis Enderbury en levant la main, «puis-je juste prendre langue avec monsieur l'assistant du lord-lieutenant à propos du déjeuner?»

«Tu parles! Ce qu'elle veut, c'est être assise à côté de cette fichue reine», souffle maman à Una.

Quand le discours est terminé et que la foule commence à se disperser, maman se tourne et me repère. Son œil se porte aussitôt sur mes seins et mon ventre.

«Bridget, dit-elle, tu attends un heureux événement?»

Aaargh! Ça se voit déjà tant que ça? Pourtant Mark, Daniel, Tom, Miranda et Shazzer m'ont tous garanti qu'on ne remarquait rien.

«Oui, elle attend un heureux événement, Pam», dit Una.

Tous les regards sont braqués sur moi.

«Vous êtes obligées de parler d'"heureux événement"? je demande, nauséeuse.

– Oh, Bridget, dit maman, ravie. Oh, ça tombe pile poil !» Et soudain avec son air de ne pas y toucher, elle ajoute : «C'est le bébé de Mark? Il est ici, tu sais. On disait tous justement que maintenant qu'il est divorcé de cette horrible intellectuelle, vous aviez peut-être enfin compris, tous les deux. Tu te souviens comme tu jouais avec lui dans la piscine? Bridget, c'est Mark le père?

– Peut-être. Enfin, il y a cinquante pour cent de chances.»

Mavis Enderbury écoute, une lueur de triomphe mauvais dans le regard.

«Cinquante pour cent de chances? dit maman. Bridget, tu n'as quand même pas fait ça à trois?»

De retour chez les parents, j'ai droit à la grande scène du deux.

«Depuis que tu es grande, j'attends que tu aies un petit bébé, et il faut que tu annonces ça comme ça, devant le gratin de Grafton Underwood et Mavis Enderbury! Je n'ai jamais été aussi humiliée de toute ma vie.

– Enfin, Pam», intervient papa d'une voix douce, «c'est un bébé. Notre petit-enfant. Tu as toujours voulu être grand-mère.

– Pas comme ça, gémit maman. Ce n'était pas censé se passer comme ça.

– Tu as fait des analyses? lâche Una. Parce qu'à ton âge, ça pourrait être un mongol.

– Una ! dis-je. On ne peut plus dire "mongol" de nos jours. Maman, je n'avais pas l'intention de te mettre mal à l'aise. Des avis fiables m'ont amenée à croire que ma grossesse n'était pas visible pour des yeux non exercés. Je suis venue pour la Pierre d'Ethelred parce que tu avais vraiment insisté et que je voulais te soutenir. Je voulais t'annoncer la nouvelle discrètement ici, en famille. C'est un bébé. C'est une vie. C'est votre petit-fils. Je croyais que tu serais contente. Si tu dois réagir comme ça, je m'en vais. »

Je retournais à grands pas furieux vers l'endroit où attendait la voiture de Mark quand je suis passée devant le manoir de l'amiral et d'Elaine Darcy, et j'ai entendu des éclats de voix derrière la haute haie de troènes.

« Qu'est-ce que c'est que cette histoire, mon garçon ? On n'est pas à quai dans un port des Caraïbes ! Tu vas compromettre tout ce raout royal et nous ridiculiser.

– Mon cher amiral…, ai-je entendu protester Elaine Darcy.

– Regarde-moi quand je te parle, mon garçon. Qu'est-ce que tu as ?

– Je vous ai expliqué de quoi il retournait, père, et je regrette, je n'ai rien à ajouter. Au revoir. »

Silence. J'ai entendu les pas de Mark crisser sur le gravier, et l'amiral a continué :

« Pourquoi diable ne peut-il rester marié et se reproduire comme tout le monde ? Vous croyez qu'il est homo ?

– Ah mais mon ami, c'est vous qui avez voulu l'envoyer à Eton.

– Quoi ? Qu'est-ce que vous insinuez ?

– Je ne me le pardonnerai jamais.

– Vous pardonner quoi, enfin ?

– Toutes ces nounous, ces pensionnats, le fait que j'aie délégué l'éducation de mon fils unique. »

Nouveau silence.

« Allons, a fini par dire l'amiral. Un peu de dignité. Voilâââ. »

Papa est arrivé en courant et m'a surprise tapie le long de la haie.

« Asseyons-nous, ma puce. »

Nous avons fait quelques pas pour nous éloigner de chez les Darcy et nous sommes assis sur le talus herbeux.

« Ne t'inquiète pas pour maman. Tu sais comment elle est : folle à lier, zinzin comme un lapin. Elle reviendra à de meilleurs sentiments une fois qu'elle se sera habituée à l'idée. »

Nous sommes restés un moment sans rien dire. On entendait le ruisseau, les oiseaux, des voix au loin : une atmosphère familière toute simple.

« Ce sont nos attentes qui nous perdent. À tous les coups. On voudrait toujours que ce soit comme ci ou comme ça. Le secret, c'est de faire avec ce qu'on a. Toi, par exemple, tu as toujours voulu un enfant, non ?

– Mettons que "toujours" soit environ deux heures en trois ans, ai-je dit, penaude. Mais je me rends compte maintenant que oui, c'est ce que j'ai toujours voulu.

– Et tu vas l'avoir. Et ce sera le bébé le plus chanceux du monde parce qu'il t'aura comme mère. Il n'y aura pas de maman plus aimante ni plus gentille que toi – ce qu'il va s'amuser avec toi, ce petit gars ! Alors maintenant, va de l'avant, fais de ton mieux et ne t'occupe pas de ce que disent ou pensent les autres. Tout s'arrangera, je te le garantis. »

Papa m'a accompagnée jusqu'à la voiture de Mark, où le chauffeur attendait, et m'a promis qu'il ne dirait rien à maman. Quand Mark est apparu, l'air contrarié et bouleversé, papa lui a donné une claque virile sur l'épaule en lui adressant un sourire de connivence. Mais il n'a rien dit. C'est en ça qu'il est génial, papa. Il savait que ça n'aurait pas plu à Mark, et que de toute façon ils se comprenaient.

Quand la voiture a démarré en ronflant, j'ai suivi l'exemple de papa et simplement posé la tête sur l'épaule de Mark en fermant les yeux. Et comme je commençais à m'assoupir, je suis sûre d'avoir entendu Mark murmurer : « Même si le bébé est celui de Daniel au bout du compte, je tiens à être son père. »

17 h. Rentre juste de faire des courses pour le bébé chez John Lewis avec Mark et Daniel. On dit toujours que s'il vous arrive quelque chose de vraiment grave, il faut aller chez John Lewis parce qu'il n'arrive jamais rien de vraiment grave chez John Lewis.

Mark portait une énorme pile de livres de puériculture et une boîte de couvertures pour bébé en mousseline de coton qui disait « Emmaillotage confort ».

« Emmaillotage ? » a dit Daniel d'un ton incrédule, avec à la main une tenue miniature de footballeur de Chelsea. « Tu pratiques l'emmaillotage ?

– C'est parfois efficace, a dit Mark – du ton d'un expert appelé pour donner son avis pour ou contre une intervention militaire –, si ce n'est pas trop serré.

– … et si tu es un paysan égyptien du quatrième siècle avant Jésus-Christ.

– Ça favorise l'endormissement, a dit Mark en prenant un chauffe-lingettes, comme s'il avait à peine remarqué la présence de Daniel.

– Quoi ! Quand le bébé est attaché à une planche ? C'est digne des prisons iraniennes, ce truc !

– Bien sûr que si, ça aide ! Mais tu n'as aucun sens de ce qui est approprié ou pas, ni pour un bébé, ni en matière de plaisanterie. Toi, tu laisserais probablement

133

l'enfant hurler toute la nuit jusqu'à ce qu'il s'endorme, sonné par quelques cuillerées de whisky.

– Tu vas retirer ça tout de suite ! »

Ils ont été rapidement éjectés du magasin par l'équipe de sécurité de John Lewis. On ne laisse jamais rien de vraiment grave arriver chez John Lewis. Malheureusement, ce n'est pas le cas partout.

~ **DIMANCHE 12 NOVEMBRE**

17 h. Chez moi. Retour du cours de préparation à l'accouchement. Mark est arrivé au pas de course, en retard, le téléphone vissé à l'oreille, serviette à la main, et nous a fait un bref signe de la tête à Daniel et à moi tout en continuant à parler au téléphone.

« Sois gentil, Darce, éteins ça », a dit Daniel. Nous avons signalé notre présence à l'accueil et sommes entrés par la porte à double battant dans une salle où une sage-femme se tenait devant une table, avec un modèle en caoutchouc de la partie inférieure d'un corps de femme. Des couples étaient assis, alignés derrière des tables, et chacun essayait de mettre une couche à un bébé en plastique.

« Ah, a dit la sage-femme. Bienvenue ! Trouvez-vous un bébé dans la poubelle là-bas. »

Il restait juste un bébé noir dans la caisse.

« Si on était arrivés ici à l'heure, on aurait pu en avoir un blanc, a chuchoté Daniel, s'attirant des regards horrifiés.

– Daniel, ai-je sifflé, tais-toi, enfin !

– Bien ! » a dit la sage-femme pour mettre fin au malaise. « Qui sont nos nouveaux arrivants ? Mark ? Daniel ? Vous êtes notre second couple du même sexe aujourd'hui. »

Tout le monde a applaudi poliment et Daniel a eu un sourire narquois en voyant l'expression de Mark.

« Et Bridget ? Vous êtes la mère porteuse ? Soyez la bienvenue ! »

J'ai trouvé que donner des explications dans cette situation particulière ne s'imposait pas, et je me suis bornée à sourire vaguement pendant que tout le monde déplaçait sa chaise pour nous faire de la place.

« Non, a dit soudain Mark, nous ne sommes pas en couple. »

Il y a eu un moment de silence et tous les regards ont convergé vers nous.

« Bien... alors... ? a fait la sage-femme, étonnée. Alors vous et Bridget êtes en couple ?

– Non.

– Alors Daniel et Bridget sont...

– Aucun d'entre nous n'est en couple, ai-je tranché. J'ai couché avec eux deux et je ne sais pas lequel est...

– Oh ! alors vous avez tous deux choisi d'avoir des

135

rapports avec la mère porteuse ! C'est peu commun. En tout état de cause, ce cours est ouvert à tous.

– Ouvert à tous étant les mots qui s'imposent, a laissé tomber Daniel.

– Avançons, voulez-vous ? » Elle a brandi le modèle gynécologique en caoutchouc. « Comment s'appelle l'ouverture de l'utérus ? Quelqu'un peut me le dire ? »

Daniel a aussitôt levé la main : « Le vagin !

– Euh, eh bien non.

– Le col de l'utérus, a dit Mark.

– Le col de l'utérus. Exact. Et l'accès au col de l'utérus se fait par ?

– Le vagin ! a lancé Daniel triomphalement.

– Oui ! Ou, comme nous l'appelons, le canal utérin. Ou, pour le bébé, la porte de sortie sur un monde nouveau.

– Il y a toujours deux façons de voir les choses », a conclu Daniel.

La sage-femme avait pris un bébé en plastique et tenait toujours la moitié de femme en caoutchouc. Honnêtement, je me demande comment une relation peut survivre à un cours de préparation à l'accouchement.

« Alors ! On va regarder ce qui se passe quand le bébé est finalement en route. Le canal utérin doit s'ouvrir. » Elle a poussé le bébé la tête la première dans la moitié de femme. « Puis-je avoir un volontaire pour faire le médecin ? Vous voulez bien, Daniel ?

– Vu que tu t'es employé toute ta vie à ouvrir des vagins…, a murmuré Mark.

– Bien ! Alors, docteur ! Mettez votre main là-dedans. »

Elle a guidé la main de Daniel dans le canal utérin de la dame en caoutchouc. « Et le bébé pousse par ici. Vous sentez le bébé ?

– Absolument désolé », a dit Daniel en tortillant la main pour l'introduire dans le canal utérin. « Je n'arrive pas à l'atteindre. »

Mark a eu un petit sourire narquois en voyant Daniel essayer d'introduire sa main un peu plus haut tandis que la sage-femme poussait le bébé un peu plus vers le bas.

« Holà ! a-t-elle explosé avec une brutalité inattendue. Ça fait ça à chaque fois. Depuis le temps que je réclame un autre modèle. Merci le service de santé publique ! Personne n'a un vagin aussi petit.

– On voit bien que vous n'êtes jamais allée au Ping Pong Puck à Bangkok, a dit Daniel.

– Oh mais ce n'est pas possible ! » s'est exclamée la sage-femme en regardant Daniel d'un œil incrédule. « Ça alors ! Vous êtes le type de l'émission de voyages. Pas vrai ? Je vous ai vu dans cette émission sur Bangkok ! C'était hilarant. Daniel Cleaver ! »

Tout le monde regardait maintenant Daniel avec un intérêt extrême.

« Vous avez une autre émission ?

– Eh bien non », a dit Daniel en essayant de retirer sa main du canal utérin. « En fait, je viens d'écrire un roman. Il est intitulé *La Poétique du...*

– C'est bon, j'en ai assez, a dit Mark. C'est intolérable. Je m'en vais. »

Nous nous sommes retrouvés tous les trois dans la rue sous le crachin, tandis que des bus et des camions passaient devant nous en grondant.

« Tu es un crétin complètement infantile, a dit Mark d'un ton furieux à Daniel.

– Mais enfin, il fallait bien répondre à ses questions.

– Je n'apprécie pas du tout de me retrouver dans des situations grotesques avec un type aussi ridicule...

– Eh bien, laisse tomber, Darcynette. Tout le monde sait que tu n'arrives pas à la mettre au garde-à-vous, de toute façon. Et tout le monde sait que tu tires à blanc depuis des années.

– Retire ça, a dit Mark.

– Le sperme dominant vaincra. »

Mark a fait mine de lui envoyer un coup de poing.

« Arrête, Mark ! » ai-je dit.

Ils se faisaient face, en garde comme des boxeurs.

Je n'en pouvais plus, littéralement. Ni l'un ni l'autre n'a rien remarqué quand j'ai vu un taxi approcher, sa lumière verte allumée. « Salut ! » ai-je dit quand il s'est arrêté. « Je vous appelle plus tard.

– Bridget ! Attends ! a dit Mark.

– Je suis fatiguée. Merci d'être venus, tous les deux. Je vous appelle plus tard. »

Quand j'ai regardé par la vitre arrière, ils semblaient avoir cessé leur bagarre, mais Daniel parlait à Mark, la mine grave. Et Mark a brusquement tourné les talons et s'est éloigné à grands pas.

22 h. Chez moi. Oh chic ! On sonne. C'est peut-être Mark ?

Ce n'est pas Mark, mais un coursier m'apportant une lettre de lui.

Mark est absolument la seule personne qui écrit encore des lettres à l'encre sur du papier gaufré à en-tête.

Chère Bridget,

La situation actuelle ne peut plus durer. J'ai clairement exprimé mes sentiments pour toi et pour le bébé, mais il est maintenant aussi très clair que je n'ai aucune place dans ce scénario ridicule et débridé. Le souci que j'ai de ton bien-être est tempéré par la conviction que dans cette affaire, si tu avais été claire et honnête avec moi beaucoup plus tôt, cela aurait évité beaucoup de souffrance et de confusion.

La priorité pour toi maintenant, c'est de ne pas te laisser entraîner dans d'autres bouffonneries, mais simple-

ment de te reposer et de prendre soin de l'enfant à naître. Si je peux en quelque façon t'offrir une assistance financière ou t'aider, il te suffit de me le faire savoir et j'honorerai cet engagement.

Fidèlement,

Mark

Neuf

Chaos et désordre

10 h 15. Bureau de *Sit Up Britain*. Viens juste d'arriver, et déjà les bras m'en tombent. Absolument incapable de m'acquitter d'une journée de travail avec les choses suivantes à l'intérieur de moi :

1) Bébé de plus en plus gros réclamant cheesy potatoes, fromage, cornichons et, brusquement, vodka.

2) Un cœur complètement en vrac et brisé. Pourquoi Mark a-t-il écrit cette lettre ? Alors que tout avait été si délicieux pendant le trajet en voiture de Grafton Underwood à Londres. Pourquoi ? Que s'est-il passé ? Pourquoi ne répond-il pas à mes SMS ? Peut-être qu'il trouve que je suis une fille nulle et facile, et que Daniel lui rappelle ces aspects de moi qu'il n'aime pas.

143

J'appelle Tom sur FaceTime sous mon bureau, en douce.

« Tu n'es ni nulle ni facile, dit Tom. Tu es une productrice top et tu mènes pratiquement une vie de bonne sœur. Il faut que tu fasses une liste de "Au Moins". Tu te souviens ? Tu m'avais montré ça quand j'étais torturé par Jérôme le Prétentieux.

– Au moins ?

– Au moins, j'ai ceci ou cela. Ça remonte le moral.

– Ah oui, bonne idée, dis-je, un peu rassérénée. Merci, Tom. »

J'éteins FaceTime. FaceTime se rallume : Tom.

« Bridge. Juste une remarque entre nous. N'appelle jamais personne sur FaceTime sous cet angle. »

Tom disparaît, puis reparaît sur FaceTime « Est-ce que je suis une Personne Horrible ? ».

« Bridget, au travail ! » dit Richard Finch qui, en passant devant mon bureau, plonge un œil dans mes seins.

J'envoie un SMS en vitesse à Tom. « Non, tu es quelqu'un de bien », puis je me remets à taper furieusement en regardant l'écran avec une attention éperdue, exactement comme si je travaillais sur le planning des émissions du jour.

AU MOINS

J'attends un bébé.

Peut-être que tout va s'arranger avec Mark – et que c'est juste un petit accroc.

Daniel est toujours dans le coup, donc il me reste au
moins un père.

Daniel peut changer.

J'ai mon appartement.

J'ai ma voiture.

J'ai un papa adorable.

Maman peut changer et commencer à se réjouir
d'avoir un petit-fils au lieu de se focaliser sur la
visite de la reine.

Suis entourée d'amis, Célibattants et Mariés-fiers-
de-l'être qui forment une sorte de famille élargie
et chaleureuse genre tiers-monde.

J'ai un travail super et personne, sauf Miranda, ne
sait encore que je suis enceinte.

« Ils sont carrément énormes, chuchote très fort une
voix derrière moi.

— Wow, gros ! Et c'est pas du toc.

— Regarde ça, Jordan. Sous cet angle, contre la pan-
carte, les bouts pointaient juste sur le P de Sit Up
Britain, mais maintenant, ils sont en plein sur le B.

— Yo. C'est un truc de malade, gros.

— Non mais ils sont carrément énor...

— Ah ouais quand même ! Im-pres-sion-nants. »

Je pivote sur mon siège. C'est Richard Finch en train
de chuchoter avec l'un des jeunes à chignon.

« Vous parlez de quoi ?

— De rien.

145

– Richard ! Je sais que vous parliez de mes seins.

– Pas du tout !

– Si !

– Non !

– C'est du sexisme. Du harcèlement.

– Je faisais juste une remarque sur un phénomène naturel, dit Richard. Si tu voyais un bus à impériale qui a doublé de volume, tu te sentirais le droit de faire une remarque là-dessus, non ?

– Je ne suis pas un bus, je suis un être humain. Enfin, excusez-moi, il faut que j'aille faire pipi. »

Il se produit chez Richard Finch un phénomène rare : une idée lui traverse l'esprit.

« Tu es ENCEINTE ? » hurle-t-il.

Il y a un silence assourdissant. Me retourne pour constater que tout le monde a les yeux braqués sur moi et que Peri Campos vient d'entrer dans le bureau. Le bébé éjecte sa cheesy potato et son cappuccino en manière de protestation et je vomis dans la corbeille à papier devant tout le monde.

20 h. Chez moi. Voici les gens qui ont été virés suite au « dégraissage » de Peri Campos :

June, de l'accueil (dix-sept ans à *Sit Up Britain*).

Harry le chauffeur (dix-huit ans à *Sit Up Britain*).

Julian le régisseur. C'est vrai, il oubliait de nous dire qu'on était à l'antenne et il ne voyait pas la différence entre « caméra vers la droite » et « caméra vers la

146

gauche », mais ça faisait vingt ans qu'il l'étudiait, cette différence.

Quand nous sommes tous sortis de la réunion, Peri Campos m'a prise à part.

« Les RH ont l'habitude de ces employées qui tombent enceintes quand leur boulot est en danger. Encore que, généralement, les employées dont le boulot est en danger sont trop vieilles pour tomber enceintes. Bref, ne vous imaginez pas que vous allez vous en sortir avec ce genre de prétexte foireux. »

Elle s'est retournée vers l'intérieur de la salle. « Eh là, vous autres ! Dernière chose. On va commencer une heure plus tôt le matin. »

Non mais je rêve ! Tout le monde sait que dans les médias, les gens sont censés commencer tard parce qu'ils sont créatifs et mènent une vie de bohème. J'ai pris rendez-vous pour l'échographie dans la première tranche horaire, à huit heures jeudi, prévoyant d'arriver au travail à onze heures.

Oh, bon, ça ira, bien sûr. Serai ici vers neuf heures trente. Plus que en avance, donc !

~ **MERCREDI 15 NOVEMBRE**

Nombre de SMS envoyés à Mark : 7. Nombre de réponses de Mark : 0.

Viens d'appeler Mark à son bureau et suis tombée sur son assistant à l'accent d'Oxbridge, Freddo.

« Aaahhh, hem ! » a dit Freddo de sa voix vibrante de ténor. « Hem. Il est absent du bureau pour une quinzaine de jours. Injoignâââble.

– Il est parti dans un endroit dangereux ?

– Il est juste, hem, injoignâââble. Voilâââ. »

Bizarre. Oooh ! Texto !

DANIEL TARÉ NE PAS RÉPONDRE
Prête pour l'écho demain, Jones ? On va voir comment avance notre petit train express ?

On dirait qu'une fois de plus, c'est juste Daniel et moi. Au moins, il n'a pas oublié. Peut-être qu'il a changé.

~ JEUDI 16 NOVEMBRE

8 h. Salle d'attente de l'hôpital. Daniel n'est pas là.

8 h 10. Toujours pas de Daniel. Oh là là là là là. Suis censée être au travail dans moins d'une heure. Peri Campos va me tuer, et après, elle me mangera.

8 h 20. La réceptionniste vient de me dire : « Si vous ne passez pas maintenant, vous perdrez votre créneau. » Étais juste en train de rassembler mes affaires quand

Daniel a fait irruption dans la salle, la mauvaise humeur écrite en majuscules sur son visage (enfin, pas littéralement, parce que ç'aurait été plutôt bizarre).

« Circulation démente. Ville complètement bloquée. Quelle idée de prendre un rendez-vous aussi tôt, Jones ! Bon, allons-y. Et d'abord, où est Darcy ?

– Il n'est pas là. »

Ça ne semblait pas une bonne idée de dire à Daniel que Mark n'était plus dans la course : un peu comme au travail quand on essaie d'entraîner tout le monde derrière une idée et qu'une personne n'est pas fan ; alors, tout le monde laisse tomber. Hors de question que je le mette au courant.

« Pas de Darce ?

– Mark ne vient pas, ai-je lâché. Il m'a écrit une lettre. Il ne veut plus participer. »

J'ai vu passer une lueur de triomphe dans l'œil de Daniel. « C'est une affaire d'ego. Toujours l'ego chez Darcynette.

– Qu'est-ce que tu veux dire ?

– Rien, rien. Enfin si, le cours de préparation à l'accouchement…

– Tu aurais pu t'excuser.

– De quoi, Jones ? C'était très marrant. Les gens se sont tous amusés comme des petits fous, sauf Darcynette. On n'est pas obligés de traiter ça comme si c'était une exécution dans une prison cradingue d'Arabie. »

Le gros ennui, c'est que le Dr. Rawlings avait été

appelée pour une délivrance (d'un autre bébé, probablement, pas d'un prisonnier). Je me suis surprise à éprouver de la jalousie pour l'autre bébé et pour le Dr. Rawlings, un peu comme si elle me trahissait. Et pour couronner le tout, sa remplaçante était un homme, si bien que Daniel n'avait personne avec qui flirter. Il semblait vidé de toute son énergie. Sans Mark avec qui rivaliser, on aurait dit qu'il n'était plus là que pour la forme.

Mais moi, en attendant, j'étais tellement submergée par l'amour et fascinée de voir combien mon merveilleux petit chéri avait grandi – sa petite tête ronde, son petit nez, ses mains – que j'en ai totalement oublié l'heure.

« Aaaarghhh ! » ai-je dit lorsque nous nous sommes retrouvés dans la rue, « Il est 9 h 15 et je suis censée être au boulot depuis un moment.

– OK, OK, n'en rajoute pas, je t'emmène au travail », a dit Daniel en ajoutant à voix basse : « Tant pis pour mes épreuves, mes relectures. *Sit Up Britain* passe avant, forcément… »

Le trajet en voiture ne peut être décrit que par un mot : « tendu ». J'essayais mentalement d'obliger l'horloge du tableau de bord à aller en marche arrière, d'écarter les bicyclettes et les camions par la seule force de mon esprit, tout en me rendant bien compte que l'heure à laquelle j'aurais dû me trouver derrière mon bureau était dépassée d'une bonne trentaine de minutes. Daniel, nerveux et préoccupé, jouait avec les boutons de commande, donnait des coups d'accélérateur et des coups de frein, si bien que j'ai cru que j'allais vomir de nouveau dans la voiture.

Quand nous sommes arrivés devant l'immeuble de *Sit Up Britain*, Daniel est resté au volant en laissant tourner le moteur.

« Voilà, Jones. Eh bien, ravi d'avoir eu les dernières nouvelles.

– D'avoir eu les dernières nouvelles ?

– À un de ces jours.

– À un de ces jours ?

– Jones, arrête de répéter tout ce que je dis comme un perroquet.

– Comme un perroquet ?

– Jones.

– Je ne sais plus où j'en suis. On sort d'une échographie ensemble et maintenant tu me dis : "ravi d'avoir eu les dernières nouvelles" et "à un de ces jours" comme si on venait juste de coucher ensemble.

– J'entends bien, a-t-il répliqué. C'est toujours pareil avec vous, les filles, hein ! Ce n'est pas parce qu'on est allés à une écho ensemble qu'on sort ensemble. Ça ne veut pas dire non plus qu'on doive devenir hypersérieux et se mettre à avoir des enfants.

– Mais on attend un enfant. C'est pour ça qu'on est allés à l'écho.

– Non, Jones. TU attends un enfant. »

Je suis restée figée.

« Désolé, désolé, a-t-il dit. Écoute, je crois que tout ça, ce n'est pas pour moi. Je ne pense pas avoir les compétences.

– Et si c'est le tien ?

– Je suppose que je pourrais essayer.

– Et si ça ne l'est pas ?

– Alors ça changerait tout. Désolé, vraiment désolé ! Allons, ne me regarde pas comme ça, Jones. Tu vois, si tu m'avais laissé faire ça par l'autre côté, comme je voulais, rien de tel ne serait arrivé.

– Des idées comme ça, Daniel, ai-je lancé en descendant de voiture, tu peux te les mettre du côté que tu préfères. Et si j'avais le choix entre toi et Peri Campos pour élever le bébé, je choisirais Peri Campos. »

Affreusement en retard, encore sous le choc de la réaction de Daniel, je me précipite au septième étage, saisis une liasse de papiers et les tiens devant mon ventre – histoire de donner l'impression que je reviens juste de la photocopieuse et que je ne suis pas enceinte du tout –, puis j'entre d'un air dégagé dans le bureau où je trouve Peri Campos en train de tenir une réunion avec tout le personnel de *Sit Up Britain.*

« C'est humide, transparent, et sans cela, nous serions morts ! L'eau ! » braille-t-elle, se pavanant devant un grand écran tactile pendant que les jeunes à chignon au premier rang sont pendus à ses lèvres, et que la vieille garde fait la gueule au fond.

« Bridget, vous avez quarante-cinq minutes de retard. Vous êtes ringarde et gonflante. *Sit Up Britain* est ringard et gonflant. Le titre est ringard et gonflant. Le personnel est ringard et gonflant. Le contenu est ringard et gonflant. Ce qu'on veut, c'est de la tension, de l'action, du suspense. "C'est petit, c'est incroyablement puissant, c'est potentiellement mortel et il y en a partout dans votre maison !" Alors ? » Elle regarde autour d'elle, attendant une réponse.

« Les fourmis ! dit Jordan.

– Les aspirateurs, propose Richard Finch.

– Les vibromasseurs ? » hasarde Miranda.

Je glousse.

« Ce sont les piles », annonce Peri Campos d'un ton sec, « pour ceux d'entre nous qui ne sont pas carrément à l'ouest aujourd'hui. Bridget, rendez-vous dans mon bureau lundi matin à neuf heures. Neuf heures tapantes, pas trois heures de l'après-midi.

– Cela ne se reproduira plus, promis.

– Promis ! J'adore ce mot qui ouvre tant de sujets de discussion.

– S'il te plaît, ne la vire pas », dit Richard Finch qui me regarde et articule silencieusement : « Tu es folle ? »

20 h 30. Chez moi. Ai l'impression d'une menace imminente. Suis sur le point de me faire virer, les deux pères me haïssent, suis dans une merde totale, c'est vendredi soir et suis toute seule. Seeeeeuuuuule !

AU MOINS

J'attends un bébé.

Peut-être que tout va s'arranger avec Mark – et que c'est juste un petit accroc.

~~Daniel est toujours dans le coup, donc il me reste au moins un père.~~

~~Daniel peut changer.~~

J'ai mon appartement.

J'ai ma voiture.

J'ai un papa adorable.

Maman peut changer et commencer à se réjouir d'avoir un petit-fils au lieu de se focaliser sur la visite de la reine.

Suis entourée d'amis, Célibattants et Mariés-fiers-de-l'être qui forment une sorte de famille élargie et chaleureuse genre tiers-monde.

J'ai un travail ~~super~~ (pour combien de temps ?). ~~Et personne, sauf Miranda, ne sait encore que je suis enceinte.~~

Mais c'est vrai. J'ai des amis. Des Célibattants qui s'amusent et avec qui je peux rigoler. Pas la peine de m'attendrir. Vais simplement appeler Shazzer.

21 h. La conversation avec Shazzer a mal tourné.

« Shaz ? C'est Bridget. Vous sortez ce soir, Tom et toi ? »

Silence au bout du fil : le même silence que je gardais quand Magda appelait pour savoir si elle pouvait sortir avec nous et essayait, mais en vain, alors qu'elle était Mariée-fière-de-l'être, de partager nos plaisirs débauchés de Célibattants.

« C'est jusss – elle a vraiment l'air bourrée – on est à Hackney et ccc'est un peu… déglingue ici. »

Je me mords la lèvre et je sens des larmes me piquer les yeux. Ils ne me proposent même pas de les rejoindre ! Ne suis plus une Célibattante. Ne suis pas une Mariée-fière-de-l'être. Suis un monstre !

« Bridge ! Qu'est-ce qui se passe ? On a été coupées ?

– Pourquoi vous ne m'avez pas proposé de venir ?

– Eh ben… C'est que… c'est un peu alcoolisé et déjanté, tu vois, alors dans ton…

– Dans mon état ? »

J'entends une discussion en fond sonore. Tom prend l'appareil, encore plus pété que Shaz.

« Ça ddddégénère un peu, tu'ois. Miranda est en tttrain de… »

Quoi ? Miranda est là-bas aussi, sans m'avoir demandé ?

22 h. Le problème, c'est que quand on se sent seul et abandonné, il faut « aller vers » les autres, hein ?

22 h 05. Vais « aller vers » les autres par SMS.

22 h 10. Voilà ce que j'ai envoyé.

Magda, je me sens seule et abandonnée. Ne peux plus vivre vie célibattante. Ai besoin que mes amis Mariés-fiers-de-l'être me soutiennent en cette période éprouvante.

Shazzer, je me sens si seule et abandonnée. Même si je suis enceinte, je ne suis pas une Mariée-fière-de-l'être. Ai besoin que mes amis Célibattants me soutiennent en cette période éprouvante.

Maman, je me sens seule et abandonnée. Je ne peux pas traverser ce moment difficile sans le soutien de ma chère, très chère mère. Ai besoin que ma mère me soutienne en cette période éprouvante.

Mark, je me sens seule et abandonnée. Je ne peux pas traverser ce moment difficile sans le soutien de mon cher, très cher Mark. Ai

```
besoin de ton soutien en cette période éprou-
vante.

Daniel, je me sens seule et abandonnée…
```

À ce stade, je me suis endormie.

11 h. Chez moi. Aaarghh ! Réveillée par une série de sonneries et de notifications. Cherche à tâtons dans ma couette pour en trouver la source.

« Allô ? » Je décroche mon fixe tout en continuant à tâtonner en quête du portable qui continue à tinter.

« C'est Magda. J'ai été VRAIMENT contente de recevoir ton SMS. Nous MOURIONS tous d'envie de nous manifester, mais nous pensions que tu étais dorlotée par tes amis célibataires et que tu nous trouvais trop barbants. Bref, on se retrouve à Portobello Road aujourd'hui pour déjeuner ? Après, on discutera de tous tes problèmes. Bien entendu, tout le monde va vouloir te donner toute une série de conseils sans queue ni tête, mais pas moi.

– Euh, je suis encore au lit, mais…

– Au lit ? Bridget, tu portes un soutien-gorge ?

– Non. Je devrais ?

– Évidemment, si tu ne veux pas finir avec un sein

sous chaque bras. Mais pas un soutien-gorge avec arma-ture.

– Ah, pourquoi ? je demande, pensant à ma collec-tion raffinée de soutiens-gorge pigeonnants.

– Les armatures écrasent les canaux lactifères.

– Attends deux secondes », dis-je en répondant au portable. C'est Tom.

« Tom ! Salut, je suis sur l'autre ligne. Je peux te rap-peler ?

– OK. Regarde tes SMS. On a rendez-vous à l'Elec-tric pour boire des Bloody Mary à treize heures. »

« Pardon, Magda », dis-je en reprenant le fixe et en constatant qu'elle parle toujours.

« Ah, et puis ne mange pas d'œufs crus.

– Pourquoi je mangerais des œufs crus ?

– En fait, le seul conseil à suivre vraiment, c'est de ne pas t'allonger.

– Comment faire pour vivre sans s'allonger ?

– Pas sur le dos, parce que l'artère principale qui ali-mente ton cerveau passe par ton dos. »

Le portable sonne de nouveau. « Chérie, c'est maman. » En larmes. « Je ne me doutais pas une seconde que tu avais besoin de moi, je croyais que tu me DÉTES-TAIS, tout a été si… »

« Magda, il faut que je te laisse, j'ai maman sur l'autre ligne.

– D'accord. Alors à l'Electric à treize heures. »

Repris le téléphone pour entendre maman sangloter

à l'autre bout du fil. « Ma chérie, je croyais qu'on ne se parlait plus. Je suis tellement contente que tu aies besoin de moi. Figure-toi qu'on va chez Debenhams cet après-midi, alors si tu veux venir, on fera des courses ?

– Je serais ravie, mais… »

Le fixe se remet à sonner. « Maman, il faut que je te laisse. Je te rappelle. »

C'est encore Magda. « Je voulais encore te dire une chose : ne va pas nager, parce que ça fait pression sur l'utérus… »

J'ai jeté un coup d'œil à mes textos. De la pommade apaisante tartinée par Tom, Shaz et Miranda. Nous étions tous censés nous retrouver à treize heures à l'Electric, mais, minute…

« … oh, et si tu commences à perdre tes cheveux, continue Magda, tu n'as qu'à te frotter le cuir chevelu avec un peu d'huile de moteur. Bon, il faut que je me dépêche. À tout à l'heure à l'Electric, treize heures ! Woney et Mufti viennent aussi !

– Euh… » Mon esprit s'emballe sous l'effet de la panique. Je ne peux pas voir toutes les Mères-fières-de-l'être là-bas en même temps que Tom, Miranda et Shazzer.

« L'Electric est un peu bruyant. On ne peut pas dire quatorze heures au Café 202 ?

– Ah bon, dit-elle, d'un ton piqué. C'est que j'ai donné rendez-vous à Mufti et Woney, mais… OK, d'accord. À tout à l'heure au café. »

Juste avant de partir, j'entends le petit signal d'un e-mail.

```
Expéditeur : Peri Campos.
Sujet : Réunion lundi 9 h.

Je vous attends dans mon bureau lundi à 9 h,
avec six infos de dernière heure qui ne soient
ni ringardes ni gonflantes à se flinguer, avec
les titres appropriés, au format défini ven-
dredi.
```

Portobello Road. Notting Hill. Me suis sentie grisée et euphorique en me retrouvant dans la foule et le charme débraillé de Portobello : traiteurs exorbitants, fleuristes ou magasins de cachemires se mêlant maintenant aux bureaux de paris et aux stands proposant des chapeaux branchés et des légumes qui datent de Mathusalem.

Maintenant que ma grossesse commence à se voir, j'ai un peu l'impression d'être une célébrité : les voitures pilent aux passages piétons, les gens me cèdent leur place dans le métro, tout le monde m'arrête et me demande : « C'est un garçon ou une fille ? » et : « C'est pour quand ? »

Bien entendu, je suis excessivement gracieuse avec mes fans. Un peu comme la reine, à ceci près que je suis enceinte, plus jeune, et que je ne vais pas être assise à côté de ma mère à Grafton Underwood.

Arrive d'excellente humeur à l'Electric, pour trouver Shazzer affalée la tête dans les mains à l'une des tables à l'extérieur. «Salut, Shaz!»

Elle émet un vague gémissement. «J'ai une gueule de bois d'enfer. Tu me commandes un Bloody Mary? Je ne peux pas bouger la tête.

— Où sont Tom et Miranda?

— Sais pas. Miranda s'est fait draguer par un mec. Et je crois que Tom va venir direct ici de là où il est, mais suis furieuse contre lui parce que...»

Oh là là, déjà 13 h 15. Et Magda? Enfin, quand même, je peux bien arriver avec un peu de retard, non?

Vais à l'intérieur commander un Bloody Mary et un thé à la menthe. Quand je sors, je vois Tom arriver, hirsute et pas rasé. Il se dirige vers nous avec l'air décidé d'un ivrogne arrêté par un agent de police qui l'oblige à marcher en ligne droite.

«Oh putain!» dit-il en rejoignant Shazzer et en s'effondrant sur la table la tête la première. Il pue la tequila.

«Ils sont déchirés, gavés de sexe et ils se répandent sur votre table! J'ai nommé Tom et Shazzer!» lance Miranda en arrivant d'un pas élastique, la mine fraîche et juvénile.

«Tu n'as pas la gueule de bois?» je demande en les rejoignant à la table.

«La gueule de bois? Non! Ma drogue de prédilection du vendredi soir, c'est le sexe! Tu as reçu l'e-mail

de Peri Campos ? Un verre de bourgogne blanc ! »
lance-t-elle d'un ton aguicheur au garçon qui a surgi
dans l'instant, comme par miracle. Elle regarde mon thé
à la menthe, horrifiée. « Un autre verre de vin pour Bridget, et le menu, s'il vous plaît.

– Je ne peux pas boire, je suis enceinte, dis-je tandis
que Miranda commande à manger.

– Non, non ! Dernière actualité de *netdoctor.com*.
Deux verres de vin par semaine, c'est BON POUR LE BÉBÉ.
"C'est liquide, c'était autrefois toxique, et les bébés
baignent dedans."

– Pas possible ! » dis-je, ravie.

C'est tout bénéfice : le titre d'une info et un coup à
boire.

« Chut, dit Tom. Vous me donnez mal à la tête. »

Mmmmm. Du vin blanc frais et sec, un délice.

« Alors, vous voulez connaître mon autre scoop ? »
demande Miranda en sirotant son verre. "Ils sont petits,
ils sont totalement incontinents et ils vous SAPENT LE
MORAL – les bébés !"

– Quoi ? dit Shazzer, se redressant comme un ressort, l'œil fixé sur Tom.

– Ouaip ! » dit Miranda, l'air très contente d'elle.
« L'étude paraîtra dans *Psychiatrie : dernières nouvelles
de demain* du mois prochain.

– Comment t'es-tu procuré le numéro à paraître de
Psychiatrie : dernières nouvelles de demain ? demande
Tom, toujours affalé sur la table.

– Par contacts, gros. »

Je la reprends : « Ne dis pas "gros" !

– Apparemment, toutes ces années, on a fait de l'intox auprès des femmes en les persuadant qu'elles étaient déprimées parce qu'elles n'avaient pas d'enfants, alors que celles qui abandonnent leur carrière pour en avoir sont plus déprimées que celles qui font carrière et n'en ont pas.

– Ah, tu VOIS, Tom ! », dit Shazzer qui ajoute : « Tom a décidé d'adopter un bébé. Il quitte le navire pour suivre le mouvement.

– Shazzer, tais-toi, c'était un secret », rétorque Tom, furieux.

Atterrée, je regarde Miranda. « Non mais, on ne va quand même pas prendre un article au sérieux. Toutes ces études, c'est du pipeau. Cela dit, ça nous fera un titre pour lundi. "Ils sont passifs-agressifs, genre 'Coucou, je-suis-une-pauvre-petite-chose, aidez-moi', et ils vous pourrissent la vie – les bébés !"

– Exactement ! C'est de l'intox », croasse Shazzer pendant que j'avale une énorme gorgée de vin, me souvenant du bien-être qu'il procure, et rêvant aussi à un paquet de Silk Cut.

J'attaque mon croque-monsieur au fromage.

« Toutes ces années, on nous a pris la tête et seriné qu'on était déprimées parce qu'on n'avait pas d'enfants alors qu'on n'était pas déprimées du tout ! assène Shazzer avec délectation.

163

– Mais, euh, si, on l'était, dit Tom.

– Non, on a juste CRU l'être parce que la société nous a fait croire que nous avions subi une perte insupportable, alors qu'en réalité, les gens qui décident en connaissance de cause de ne pas avoir d'enfants ne sont pas déprimés du tout.

– Bravo ! dis-je par pure habitude. Vive les Célibattants sans enfants !

– Bridget ! Qu'est-ce que tu fais là ? Je croyais que tu avais rendez-vous avec NOUS pour le déjeuner. »

Aaarghh ! Magda et Mufti. Mufti a une poussette avec un bébé dedans, décorée d'une guirlande impressionnante d'accessoires pour bébé.

« Tu bois du VIN ? »

Je me lève d'un bond, culpabilisée à mort, et renverse le verre sur mon ventre.

« Il ne faut pas qu'elle boive de vin ! C'est interdit ! s'exclame Mufti.

– Franchement, vous autres Célibattants êtes complètement irresponsables, dit Magda. On l'emmène. Allez, viens, Bridget.

– Ce n'est pas du fromage de chèvre ? s'exclame Mufti. Tu manges du FROMAGE DE CHÈVRE ? »

Woney apparaît subitement, avec une poussette elle aussi, mais sans bébé dedans. « Bridget, qu'est-ce que tu fabriques ici ? On croyait que tu devais nous retrouver au Café 202. On t'a acheté une poussette Bugaboo. »

Je remercie avec effusion, tout en regardant d'un œil perplexe la poussette géante. Comment vais-je pouvoir monter ce truc dans mon escalier ?

« Oh là là, mais tu es énorme ! dit Woney. Je croyais que tu n'en étais qu'à quelques mois. Il faut que tu arrêtes de grossir, sinon, tu vas déguster à l'accouchement. »

Magda me tapote la main en chuchotant : « Ne fais pas attention à Woney – à force de rester debout pendant sa grossesse, elle a eu des varices aux grandes lèvres », ce qui provoque un sourire narquois de Shazzer.

« C'est une fille, dit Mufti. C'est une fille ! Regarde comme elle porte bas.

– Non, pas du tout, c'est un garçon. Regarde comme elle a les seins gonflés.

– Un garçon ? Un garçon ? Elle est complètement de traviole, dit Mufti. Complètement de traviole.

– Bon, ça va comme ça, dit Magda. On est ici pour aider Bridget, pas pour la torturer. Devine ! On t'a trouvé une nounou, une fille qui vient d'Europe de l'Est. Elle a un diplôme en neurosciences de l'université de Vilnius.

– Tu as trouvé qui est le père ? demande Woney. Tu ne peux pas avoir un enfant sans père.

– Écoutez, gronde Tom, exhalant des vapeurs d'alcool, c'est complètement archaïque de vivre avec deux parents hétérosexuels de sexe opposé.

– Ce serait dommage de faire porter au bébé le fardeau de ce stigmate social », dit Shaz.

Miranda ignore tout le monde et surfe sur Tinder.

« Je vous trouve un tout petit peu amers, vous autres, dit Mufti. Un peu amers.

– Pourquoi, parce qu'on n'a pas fait le calcul matérialiste de choper le premier homme solvable en vue quand on a passé la trentaine ? demande Shaz.

– Non, mais peut-être que c'est pour ça que vous êtes seuls et sans enfants.

– Ce n'est pas toi qui as des varices aux grandes lèvres ? » lance Shaz à Woney.

La conversation a dégénéré en engueulade en règle. J'ai fini par me faire embarquer par Magda avec la . poussette géante – un accessoire plutôt bizarre sans bébé dedans – et elle n'a pas arrêté de me dire à quel point ce sera super d'avoir ma nouvelle nounou, qui est une amie de la sienne, Audrona, qui elle-même a un diplôme d'ingénieur aéronautique.

Une très belle fille – le type de princesse/mannequin slave pour laquelle Daniel serait capable de me planter là à l'échographie – se dirigeait vers nous avec une poussette Bugaboo identique à la mienne.

« Jolie poussette », dis-je, tout en pensant que la connivence à propos de l'article de puériculture hors de prix pourrait bien me catapulter dans la sphère nouvelle et glamour des Mères-fières-de-l'être.

«Joli bébé», dit-elle avec un accent étranger tout en jetant un coup d'œil sur ma poussette, puis sur moi, l'air perplexe, puisqu'il n'y a manifestement pas de bébé dans le siège.

«Toujours au four, dis-je en tapotant mon ventre. Mais le vôtre est adorable. »

Le bébé est adorable en effet – et en même temps curieusement familier.

«Maman ! dit le bébé.

– Molly ! s'écrie Magda. C'est mon bébé. Qu'est-ce que vous fabriquez avec MON bébé ? »

Tous les regards convergent vers nous, tandis que Magda se bat avec le système complexe d'attache de la poussette pour en sortir Molly, tout en criant « Vous avez volé mon bébé !

– Non ! Il ne faut pas être colère, Mrs. Carew, dit la princesse/mannequin. Audrona avait entretien d'embauche. Elle m'a demandé prendre Molly. J'ai doctorat en psychologie et développement du jeune enfant. Elle va très bien, vous voyez ? »

~ **DIMANCHE 19 NOVEMBRE**

14 h. Chez moi. Ai passé la plus grande partie de la journée à chercher partout dans les journaux des articles susceptibles de convenir pour les gros titres ineptes de cette foutue réunion organisée demain par Peri Campos.

« Elles sont visqueuses, leur silence devrait vous alarmer, et elles rôdent dans votre roquette – les grenouilles ! »

« Ils sont hexagonaux, ils changent brusquement de forme et ils vous crèvent un œil – les parapluies ! »

15 h. C'est désespérant. Grotesque. Ooooh, texto !

15 h 05. Miracle ! C'est Mark.

MARK DARCY
Bridget, je me sens honteux d'apprendre que tu es seule et malheureuse, et désolé de ne trouver ton message que maintenant. Veux-tu que je vienne tout de suite ? Ou préfères-tu venir chez moi pour le thé ? J'ai quelque chose à te montrer.

15 h 10. Alors ça ! Alors ça ! C'est merveilleux. Appartement pas nickel. Ne veux pas le décourager en lui donnant l'impression d'être mauvaise ménagère. Mieux vaut aller chez lui. Me demande bien ce qu'il a à me montrer…, comme se disait la demoiselle en allant chez l'évêque, lol.

Dix

~

Déprime totale

16 h 30. De retour à la maison. Viens juste de rentrer de chez Mark. Mais qu'est-ce qui s'est passé ?

J'attendais, fébrile, devant sa porte, et cette fois, quand Mark a ouvert, il n'était pas du tout comme d'habitude. Pas rasé, pieds nus, en jean et pull sombre vraiment crades, une bouteille de vin rouge ouverte à la main. Il m'a regardée d'un air bizarre.

Quand j'ai fini par demander si je pouvais entrer, ma question a paru le surprendre.

« Oui, oui, bien sûr. Entre. »

Il a filé à la cuisine, a franchi la porte-fenêtre pour aller au jardin, il a inspiré fort par le nez et semblé se remplir les poumons d'air pur.

Je me suis étranglée. Une pagaille style bohème régnait dans tout l'appartement. Des piles de vaisselle, des cartons de traiteur, des bouteilles de vin vides, des bougies allumées et – je rêve ? – des BÂTONS D'ENCENS ?

171

« Mais qu'est-ce qui se passe ? Pourquoi tout ce bazar ? Pourquoi la femme de ménage n'est pas venue ?

– Donné congé à tout le monde. Pas besoin d'eux. Oh ! » Une lueur de folie passe dans ses yeux. « Viens voir. »

Il m'entraîne dans le séjour. « Je me suis planté au boulot, dit-il sur un ton anodin.

– Ah bon ? » dis-je, inspectant du regard le séjour autrefois si conventionnel.

Le plancher est nu. Tous les meubles sont recouverts de draps maculés de taches de couleur et il y a des pots de peinture partout.

« Oui. La libération de Farzad n'aura pas lieu. Cinq années de boulot foutues en l'air. J'ai raté ma vie. Raté mes relations. Tout raté, comme homme et comme personne. Mais au moins j'arrive à peindre. »

Il soulève le drap qui cache une toile gigantesque et me regarde avec un large sourire, guettant ma réaction.

C'est une horreur. Le genre de truc qui se vend dans les grandes surfaces ou autour des grilles de Hyde Park. On voit un genre de coucher de soleil et un homme sur un cheval galopant dans les vagues, son armure abandonnée sur la plage.

« Qu'est-ce que tu en penses ? »

Sauvée par la sonnerie de mon portable. Je jette un coup d'œil – DANIEL TARÉ NE PAS RÉPONDRE – et éteins en vitesse.

« Bon, j'imagine que c'est Cleaver, non ? Chaque fois

que j'essaie de faire quelque chose de bien, de m'accrocher à la vie, il surgit et fout tout en l'air. Être honnête, travailler, essayer de faire les choses comme il faut – tout ça ne rime à rien, pas vrai ? Le charme, la célébrité, c'est tout ce qui compte. Il s'occupe de toi ?

– Mais non !

– Alors il ne t'aide pas financièrement ? C'est de l'argent que tu veux ? »

Il va chercher un pot et se met à en sortir des billets de vingt livres.

« Tiens, prends, en voilà plein. Plein d'argent. Prends tout ce que tu veux. Pour ce que ça m'a apporté.

– Je n'en veux pas de ton argent ! Tu me prends pour une vénale, une mère célibataire aux doigts crochus qui vient te voir pour te tirer du fric ? Tu es gonflé ! » Je me dirige vers la porte. « Et puis, si tu veux savoir, je ne suis pas avec Daniel Cleaver.

– Ah bon ?

– Non, je fais ça toute seule. »

18 h 15. Chez moi. Aaargh ! Je viens juste de lire le SMS de Daniel.

DANIEL TARÉ NE PAS RÉPONDRE
Ma chérie, ma chérie, ma chérie, etc. J'ai eu ton message. Ravi de t'aider, etc. Je travaille aujourd'hui mais t'appellerai plus tard. Regarde *Arts Next Week Tonight* à 18 h. xx

Vraiment. Je suis furieuse. Il y a quand même un bébé en jeu dans cette histoire. Ils ont quand même bien couché avec moi et ni l'un ni l'autre n'avait de préservatif. Il ne faudrait pas qu'ils prennent la tangente tous les deux.

18 h 16. Pianoté en bougonnant sur la télécommande et trouvé *Arts Next Week Tonight* pile à l'heure. Un plan sur Daniel pour la séquence d'ouverture. Il semble sur les dents, moins charismatique et lisse que d'habitude, mais l'air content de lui tout de même, et optimiste.

« Et maintenant, dit le présentateur, l'ancien éditeur devenu animateur de programmes de voyages devenu animateur de programmes artistiques et toujours séducteur invétéré. Le braconnier devenu garde-chasse – et j'entends braconnier au sens le plus large… »

Des séquences d'archives montrant Daniel avec différentes femmes, et puis un plan de coupe : Daniel sur sa chaise dans le studio, l'air absolument furieux cette fois.

« Daniel Cleaver vient de s'essayer au "roman sérieux" en publiant *La Poétique du temps*. Tom O'Shea ! Will Sharp ! Vous êtes romanciers vous-mêmes et, naturellement, critiques distingués : alors en deux mots, qu'en pensez-vous ?

– C'est le plus gros tas de merde puante et illisible que j'aie jamais eu le malheur de devoir me farcir, dit Tom O'Shea.

– Et vous, Will ? »

Les deux critiques sont assis à côté du présentateur, l'air très convaincu.

« C'est névropathique, paraphrénique, adamantin, platitudineux, inepte, insane, macaronique…

– Vous pouvez traduire, Will ? demande le présentateur.

– Une bouillasse totalement illisible, répond Will Sharp.

– Bien, écoutons-en un court extrait afin de nous faire notre propre opinion, d'accord ? » dit le présentateur.

Là-dessus, vidéo de Daniel devant une bibliothèque, en train de lire un passage de *La Poétique du temps*, sérieux comme un pape.

« Les vents hululaient le linceul du démon tandis que les oiseaux croassaient sous les jambes écartées de Veronica. Nous nous gavions sauvagement. Ses yeux étaient tous très grands. »

Ricanements dans le studio. À l'image, Tom O'Shea et Will Sharp, morts de rire, et Daniel, au supplice, coincé entre eux et le présentateur.

18 h 30. Mon Dieu. Un bruit de clé dans la serrure. Peut-être des cambrioleurs.

« Cou-cou ! » Ma mère. J'ai oublié que je lui avais

donné un double des clés. « Hello, ma chérie », dit maman, qui entre en trombe les bras chargés de sacs. « Bon, branche la bouilloire. »

Mon esprit carbure aussitôt. « Objet électrique, danger mortel… »

« J'étais en train de faire quelques achats chez Debenhams, alors je suis passée au rayon maternité et… ta-dam ! »

Elle brandit une gigantesque robe de grossesse – genre feu la princesse Diana quand elle était enceinte du prince William et que tout le monde se disait que vous étiez supposée cacher votre ballon plutôt que de le tartiner de crème solaire et de l'exhiber en couverture de *Vanity Fair*.

« Tu vois ? » dit-elle en plaquant la robe contre moi. « Tu seras beaucoup mieux dans quelque chose qui te couvre un peu, parce que tu vas avoir l'air…

– Grosse ? dis-je, finissant la phrase à sa place.

– Disons que la petite maman a pris un tout petit peu de poids, pas vrai ? Moi, je n'ai jamais eu ce problème, évidemment. Le médecin me disait de manger de la crème anglaise et du pudding pour grossir un tout petit peu.

– Le bébé a besoin de boulotter.

– Le bébé, il dit, "C'est pas moi qui veux manger, c'est ma maman !"

– Maman, s'te plaît. Arrête. Avec toi, j'ai toujours l'impression de tout faire de travers. Pourquoi veux-tu toujours changer ma façon de m'habiller… »

Elle se laisse tomber sur le canapé et fond en larmes.

« Maman, qu'est-ce qui ne va pas ? » Je passe mon bras autour de son épaule.

« C'est juste toute cette histoire de bébé. Bien sûr que je veux t'aider, ma chérie, mais si seulement tu avais pu faire ça comme les gens normaux. Ça sème la pagaille partout. Partout ! J'avais vraiment, vraiment envie d'être assise à côté de la reine.

– Allons, allons, ne t'inquiète pas », dis-je en lui tapotant la main. « Mais pourquoi est-ce si important pour toi d'être assise à côté de la reine ?

– Ça signifierait que je vaux un peu quelque chose, si la reine était assise à côté de moi. J'ai toujours compté pour des prunes. Et j'ai vraiment travaillé dur pour le village toute ma vie depuis mon mariage, avec toutes ces pâtisseries, ces confitures et tout le reste, et ça aurait été comme…

– Comme être centenaire, par exemple ?

– Pas CENTENAIRE, chérie !

– Non, comme de recevoir la médaille du CBE[1], mettons, ou le Queen's Guide Award. Un tampon officiel qui garantit ta valeur, en quelque sorte ? »

Elle hoche la tête en s'essuyant les yeux. « L'amiral dit que pour la table de la reine, c'est un vote qui décide.

---

1. Commandeur de l'Ordre de l'Empire britannique : une des distinctions royales décernées deux fois par an à quelques célébrités ou personnes se consacrant à des œuvres caritatives, à l'occasion de l'anniversaire de la reine et pour le nouvel an. (*N.d.T.*)

Je veux dire que j'espérais que tu réglerais ça, que tu trouverais qui est le père – peut-être que le bébé est de Mark et ce serait tellement merveilleux pour nous tous si... Tu veux bien ? Tu veux bien, ma chérie ? Et tu viendras à la réunion du 28 pour préparer la visite de la reine ?

– J'ai une importante réunion de travail demain matin, maman. Il faut que j'aille me coucher.

– D'accord, de toute façon je dois rejoindre ton père. Tu viendras, ma chérie, le 28 ?

– J'essaierai.

– ... et tu mettras la robe ? »

Dieu merci, le téléphone sonne.

« Il faut que je prenne l'appel, c'est sûrement le boulot. Bye, maman. »

Elle me donne un baiser rapide et se sauve, me laissant la robe.

21 h. C'était Daniel.

« Ah dis donc, Jones, tu as vu ce carnage ? C'était une exécution en règle. Will Sharp n'a qu'un but dans la vie : prouver qu'il a lu de la première à la dernière ligne le *Dictionnaire Oxford des mots longs, oubliés et incompréhensibles qui servent à débiner les gens.* Quant à O'Shea : la jalousie, Jones, "le monstre aux yeux verts". Ils n'ont rien compris au concept... »

À 21 h 30, Daniel parlait toujours : « Toute cette histoire de bébé m'a fait perdre les pédales. J'aurais pu les affronter si j'avais été au sommet de ma forme. On ne peut pas juger de *La Poétique du temps* à travers un extrait sonore de dix secondes et ce tandem de crétins aigris. Mais ça va donner le ton, tout est déjà sur Internet, et maintenant je vais devoir affronter les critiques. Là, ça prend des proportions démentes, j'ai l'impression que... »

Un SMS : PING !...

MAGDA
```
Audrona a accepté un boulot de concepteur
d'arbres de transmission pour Airbus. Je suis
sans nounou. Au secours ! Je peux t'appeler ?
```

Second message.

TOM
```
Je viens d'avoir une engueulade monstre avec
Shazzer à propos de cette histoire de bébé.
Elle dit que je suis une Personne Horrible.
Est-ce que c'est vrai ? Je peux t'appeler ?
```

23 h 20. Viens juste de finir de parler avec tout le monde au téléphone quand arrive un SMS de Mark.

MARK DARCY
```
Qu'est-ce que tu penses de mon tableau ?
```

Dans le studio de *Sit Up Britain*. Je suis assise en régie, épuisée, à regarder Miranda – impeccable dans un tailleur-pantalon crème – en train d'interviewer le nouveau ministre de la Famille : jamais on n'imaginerait qu'elle a passé toute l'après-midi et la nuit précédentes à baiser avec le type qu'elle a rencontré à Hackney.

« Écoutez, Miranda », dit le ministre de la Famille avec le plus grand sérieux, « si nous voulons donner aux enfants les meilleures chances dans la vie, il faut mettre en place les structures adéquates : une famille traditionnelle solide et stable, deux parents sûrs d'eux et capables, une éthique de la responsabilité instillée dès le plus jeune âge. »

Je pète un plomb et souffle dans l'oreillette de Miranda :

« Vous est-il arrivé dernièrement de vous aventurer dans l'univers du *dating* ? »

« Madame la ministre, vous est-il arrivé dernièrement de vous aventurer dans l'univers du *dating* ? » répète Miranda comme un perroquet.

« Euh, eh bien, il se trouve que j'étais mariée pendant ces quinze dernières années, si bien que… »

« Justement ! dis-je dans l'oreillette. C'est un monde sans pitié, vous savez. C'est la guerre ! Les hommes sont complètement égocentriques et cinglés. Avez-vous la moindre idée de la DIFFICULTÉ qu'il y a à se faire envoyer ne serait-ce qu'un SMS par un type avec qui vous avez couché ? »

« Justement ! embraye Miranda. Les hommes sont complètement égocentriques et cinglés. Avez-vous la moindre idée de la DIFFICULTÉ qu'il y a… »

Peri Campos s'empare de mon micro : « OK, concluez, Bridget est devenue folle. Coupez et passez à la suite ! » Tandis que Miranda continue :

« … un type avec qui vous avez couché… »

« J'ai dit CONCLUEZ ! »

« Eh bien merci, madame la ministre, nous allons devoir en rester là », dit Miranda d'une voix suave. « Et maintenant ! » Elle pivote sur elle-même pour braquer un regard féroce sur la caméra numéro trois. « Ils sont petits, oblongs, ce sont des tueurs, et certains les préfèrent brouillés. »

Sur l'écran, une nouvelle séquence d'images : ambulances, hôpitaux, gens en train de vomir, poules.

Miranda lève les yeux vers moi depuis sa chaise du studio, les mains tendues, articulant silencieusement, « Il est où, bordel ? »

« Jordan ! je hurle. L'accessoire ! »

À l'usage, le jeune Jordan avec son petit chignon est encore pire que Julian. Le clip est sur le point de s'achever quand il arrive ventre à terre dans le couloir et remet l'accessoire à Miranda.

« LES ŒUFS », dit Miranda *in extremis* et, triomphante,

elle brandit un petit œuf brun, qui se casse aussitôt dans sa main et gicle sur son tailleur crème.

« Ils sont… ils sont fragiles, ils sont gluants… », j'improvise désespérément.

« Ils sont fragiles, ils sont gluants… », répète Miranda comme un perroquet.

« En voici un pour le nouvel an. » J'improvise à l'arrache. « Jordan. Où est passé le crâne d'œuf, bon sang ? Le spécialiste, je veux dire ! »

« En voici un pour le nouvel an. Où est passé le… », répète Miranda.

« … l'œuf si modeste pourrait paraître inoffensif, bien que potentiellement salissant », je continue en roue libre dans l'oreillette de Miranda, « des découvertes récentes indiquent cependant que la menace que recèlent les œufs peut se révéler… – Jordan, amène-le à sa place, amène le spécialiste pour la remplacer TOUT DE SUITE… – plus sérieuse qu'elle ne l'a jamais été à ce jour… – OK, le voilà ! – Miranda, reviens au script. »

Je me retourne pour voir Peri Campos me fusiller du regard.

« Les œufs brouillés, oui, les embrouillées, non ! Si vous continuez, vous aussi vous allez gicler. Je vous rappelle que c'est vous qui étiez censée faire cuire l'œuf avant. Je vous attends dans mon bureau après l'émission. On supprime l'interview sur l'œuf. Gon-flant. Faites l'impasse sur le Nigeria et enchaînez sur le bikini de Liz Hurley. »

19 h. Dans les toilettes de *Sit Up Britain*. Effondrée sur la cuvette, la main contre mon ballon. Tout va de travers. Un bébé est censé apporter joie et bonheur dans le monde, et autour de moi on dirait qu'ils sont tous en train de craquer.

19 h 01. Il faut que je rassure bébé, que je lui dise que tout est OK. Même si ce n'est pas le cas.

19 h 02. Tout va bien, mon chéri, tout va bien, on va s'en sortir. Je suis désolée de tout ce bazar mais toi, reste blotti bien au chaud et en sécurité là-dedans, je me charge de tout et je te protège.

19 h 03. Oh là là. Tout ne va pas bien, non. Ce n'est pas le cas du tout. Avalanche de SMS.

MIRANDA
On est virées ?

SHAZZER
Bridge, je viens d'avoir une engueulade monstre avec Tom. Je peux te parler ?

MAGDA
Bridge – non seulement je n'ai plus de nounou, mais je viens de tomber sur le relevé de carte

bleue de Jeremy et il y a plein de factures d'hôtels et de *La Perla*. Tu me rappelles ?

MAMAN
Ma chérie, je voulais juste faire le point sur le choix des sièges. Tu me rappelles ?

DANIEL TARÉ NE PAS RÉPONDRE
Jones. Peux-tu me rappeler, s'il te plaît ? S'il n'y avait pas eu cette histoire de bébé, j'aurais pu me défendre. Tu m'as brisé. Tu te dois de me soutenir.

PERI CAMPOS
Bridget : où êtes-vous passée, bon sang ? Dans mon bureau. Tout de suite.

19 h 10. Je crois que je ferais mieux d'appeler papa.

ONZE

~

« NON »

19 h 30. Toujours dans les toilettes de *Sit Up Britain*.
« Écoute, ma puce, a dit papa au téléphone. Tu ne peux
pas passer ton temps à essayer de plaire à tout le monde.
Tu as un bébé maintenant et c'est de lui que tu dois
t'occuper. Une des choses les plus importantes qu'il te
faut apprendre dans la vie, c'est à dire non. Ou mieux
encore : "Non, pas question."

– Mais qu'est-ce que…

– Tu es épuisée. Il faut que tu prennes soin de toi et
de ton bébé. Et comment vas-tu faire si tu dois écouter
Daniel parler de son livre, régler la dispute de Tom avec
Shazzer, régler la dispute de Magda avec sa nourrice
et son mari, te rendre à la réunion cauchemardesque de
maman pour préparer la visite de la reine ? Comment
vas-tu gérer tout ça toute seule, enceinte, avec des gens
qui sont grossiers avec toi, qui sont tous obnubilés par
leurs propres affaires et te posent des questions diffi-

187

ciles ? Et faire tout ce que te dit cette grotesque Peri Campos ?

– Non.

– Juste non ?

– Non, pas question.

– C'est ça. Non, pas question. »

19 h 45. Dans le bureau de Peri Campos. Trouvé en entrant Richard Finch, l'air mortifié sur sa chaise, et Peri Campos qui fulmine : « Elle est toujours en retard, elle est désorganisée, elle passe sa vie aux toilettes et elle fout en l'air mon émission : j'ai nommé Bridget Jones !

– Écoute, c'est injuste, dit Richard. Bridget Jones a été le pilier de *Sit Up Britain* pendant...

– Tais-toi, Richard, ou tu es le prochain sur la liste.

– Vous allez me licencier ? je demande.

– Non, ma chérie, ronronne-t-elle, je ne vais pas vous licencier. Mais je veux que vous m'en donniez pour mon argent. Vous serez ici à 8 heures tous les matins. Vous allez éplucher les tabloïds et les magazines people, vous allez oublier les élections municipales et les Africains avec des mouches dans les yeux, vous allez nous trouver des histoires bien sanglantes et sexy qui tiendront les gens en haleine, les feront hurler ou se branler mais en tout cas pas s'endormir. Vous êtes raccord ?

– Non, dis-je. Pas question.

– Attention, Bridget, dit Richard en fixant mon ventre d'un air inquiet.

– *Sit Up Britain* a une histoire déjà longue, celle d'une émission d'information sérieuse, dis-je, solennelle.

– Oui. Je viens justement de visionner quelques vieilles séquences, dit Peri Campos. C'est bien vous que j'ai vue grimper au mât des pompiers en montrant votre string à la nation haletante ? Et sauter en parachute dans une station d'épuration ?

– Oui, je concède, l'émission a toujours eu – parfois involontairement – des moments plus… légers.

– Et ce string a fait exploser l'audimat, dit Richard. Elle a un sacré joli petit cul.

– Tais-toi, dit Peri Campos.

– Mais *Sit Up Britain* », je poursuis, calquant mon attitude sur l'amiral Darcy, « au cours de sa longue histoire, a toujours été un bastion de l'information nationale et internationale de qualité, qui rend compte de ce qui importe à notre pays, et je n'ai pas l'intention de me lancer dans la recherche frénétique de ragots scabreux ou de phénomènes médiatiques bidons, encore moins dans des tentatives lamentables pour transformer des titres parfaitement sensés en charabia grotesque et sans queue ni tête.

– Dois-je comprendre que vous démissionnez ?

– Oui », dis-je.

Et aussitôt je panique.

« Excellent résultat », dit Peri Campos tandis que Richard Finch me fixe d'un air absolument horrifié.

« Dégraisser, dit Peri Campos, le dégraissage est un concept génial parce que ça facilite les nouvelles entrées.

– Le lubrifiant aussi », dit Richard.

21 h. Chez moi. Viens d'avoir une série d'appels.

« Mais, ma chérie, j'ai dit à tout le monde que tu venais et que ce serait merveilleux. On a noyé le poisson et dit partout dans le village que c'était un malentendu, et... s'il te plaît, Bridget, j'ai vraiment besoin que tu sois là. »

« Allons, Bridge. Tu deviens vraiment relou. Tu as toujours dit que tu ne serais pas une Mère-fière-de-l'être et regarde comment tu es. Tu ne vas pas être la seule à ne pas boire : et les alcooliques, alors ? »

« Mais Bridget, il faut que tu fasses une fête prénatale : Woney, Mufti, Caroline, Poo, elles ont toutes... »

« Mais il faut que tu viennes à la maison pour Noël ! Tu peux dormir dans la chambre d'amis. Una et Geoffrey seront là et... »

« Mais, Jones, tu as toujours été là, dans ma tête, comme mon ultime position de repli. Personne ne me prend au sérieux. Je suis fini. J'ai besoin d'une femme et d'enfants qui prennent soin de moi quand je serai vieux. Je vais devenir une espèce de dandy sur le retour, un petit foulard autour du cou, s'appliquant à tester l'état de sa virilité sur les filles de ses amis. »

À quoi j'ai répondu : « Non. Pas question. »

Douze

Les petites choses qui font la différence

Et puis j'ai couvé. Tout le reste du mois de novembre. Décembre et janvier, j'ai couvé.

J'ai passé tout Noël dans mon nid. Je ne suis allée nulle part, je n'ai rien acheté. Je suis restée au nid toute la journée de Noël à regarder la télé et à parler au téléphone. Pas de Grafton Underwood. Pas de buffet avec dinde au curry. Pas de torture à propos de ma vie sentimentale. Non, non, pas question. C'était délicieux.

C'est tellement plus facile de dire non avec un bébé dans le ventre, parce que je ne me sens pas égoïste, j'ai l'impression de faire ça pour lui.

~ **LUNDI 15 JANVIER**

15 h. Papa est passé prendre la poussette Bugaboo offerte par Magda pour la mettre dans leur garage. « Tu seras plus à l'aise avec un peu plus de place. Quand le bébé sera là, tu verras, c'est comme un petit chat – le problème ce n'est pas le bébé, c'est le matériel. Tu auras juste à le prendre avec toi pour dormir, à changer ses couches et à le nourrir, pas besoin d'autre chose. Et comment va Mark, au fait ?

– Toujours à l'ouest. Je lui ai dit d'arrêter de m'appeler. Daniel, pareil. Les tableaux, les romans, j'en peux plus. »

Papa a proposé de me donner un peu d'argent pour m'aider. J'ai dit non, parce que je sais qu'ils sont eux-mêmes un peu à court en ce moment. C'est bizarre comme le fait d'avoir perdu mon boulot me laisse froide. Peut-être que je suis shootée au bébé, et puis j'ai mis un peu de sous de côté : pas assez pour avoir des frises peintes à la main sur mes murs comme Magda, ou pour acheter un berceau avec des rideaux autour ou un appartement plus grand pour caser la poussette Bugaboo. Mais j'ai assez pour les remboursements du prêt immobilier pendant quelques mois et pas tellement besoin de plus pour vivre – je fais d'ÉNORMES économies sur le vin et les clopes. Et puis je pourrai toujours trouver un petit boulot de pigiste ou de journaliste freelance quand je me sentirai un peu mieux. Ou même du télémarketing. Je peux prendre l'accent indien et faire semblant d'appeler de Mumbai ! Ou imiter ces filles qui se font passer pour des mannequins de dix-huit ans à gros seins et s'amusent à causer porno rigolo avec des hommes en ligne.

Et puis il y a tant de choses qui ont besoin d'être récurées et astiquées. C'est vrai – incroyable. Tout ce que je regarde a besoin d'être astiqué. Quelle crasse ! Aujourd'hui, j'ai passé littéralement toute ma journée à récurer les placards jusqu'à l'arrivée de papa. Jouissif.

Et le plus drôle, c'est que maintenant que j'ai recentré mon existence sur le bébé et moi, tout devient simple et joyeux. Je n'ai plus à me soucier de ma vie sociale ou à savoir qui s'est brouillé avec qui. Chaque matin, je vais prendre un café et un croissant au chocolat chez Raoul au coin de la rue, puis je lis le *Petit Livre d'instruction du Bouddha* et *Qu'attendre quand on attend* et je décide de manger des aliments polyvalents, puis d'aller au yoga pour femmes enceintes et d'essayer de ne pas péter. Ensuite, je retourne à mes placards et je récure, et puis je mange des cheesy potatoes. Et de temps en temps, j'ai rendez-vous avec le Dr. Rawlings. Elle pense que j'ai tout à fait raison et dit que, à son avis, les pères peuvent être une vraie plaie.

Et puis, peu à peu, les amis se sont tous adaptés à ma routine. Miranda passe généralement avec le petit déjeuner le dimanche, en revenant de boîte, traînant parfois dans son sillage un jeune type canon et gavé de sexe. Tom vient toujours le mardi en début de soirée, parce qu'il a un client juste à côté de chez moi. Et Shazzer vient le samedi à l'heure du brunch pour vitupérer

contre la dernière chiotte de chiasse de saloperie de fou-
tage de merde de mes deux.

Maman, elle, a basé toute sa campagne sur l'intégra-
tion et embarqué les deux homos qui habitent derrière
le presbytère. Son nouveau truc, quand elle appelle,
c'est de laisser tomber dans la conversation, « C'est tellement moderne d'avoir deux pères – je ne crois pas que
l'un des deux soit noir, ou bien si, ma chérie ? ».

Et Magda continue à passer avec du matériel pour
bébé, ce qui est génial. Même si elle continue AUSSI à
répéter : « Je pense juste que ça va être vraiment dur de
mener ça toute seule jusqu'au bout, Bridge. » Et puis
elle se met à sangloter sur les infidélités de Jeremy. Mais
ça va, parce que je me rends compte qu'elle ne me
demande rien d'autre que de l'écouter.

Tout est parfait maintenant parce que, comme dit
papa : « Ça vient du dedans, pas du dehors ».

TREIZE

PRISE DE CONSCIENCE

15 h. Bon. Fin prête pour accueillir le bébé même s'il n'est pas attendu avant six semaines. Ai fini de vérifier une nouvelle fois le contenu de ma valise. À savoir :

3 sacs de voyage contenant vêtements, trousse de toilette, balles de tennis, etc.
1 Scrabble
1 Boggle
1 jeu de cartes
1 lecteur de DVD portable
Sac contenant 5 livres reliés, 8 magazines, 2 douzaines de DVD
1 ordinateur portable
1 iPod
1 chronomètre (pour compter les contractions)
1 bouteille de chardonnay (pour après la naissance, évidemment)

1 tire-bouchon
1 boîte de Milk Tray
3 cheesy potatoes
1 paquet de bâtonnets glacés (au congélateur), à sucer pendant les douleurs

Je pense que c'est tout. Mais j'ai l'impression qu'il manque quelque chose.

~ MERCREDI 31 JANVIER

21 h. Je viens de relire le *Petit Livre d'instruction du Bouddha* :
« Si vous laissez reposer de l'eau trouble, elle devient limpide. Si vous laissez reposer votre esprit troublé, le cours de vos pensées deviendra limpide lui aussi. »

~ JEUDI 1ᴱᴿ FÉVRIER

5 h. Mark Darcy me manque.

8 h. « Je m'attendais à cet appel, dit papa. Est-ce que tu l'aimes ?
– Plus que n'importe qui au monde – à part le bébé, je veux dire, et vous deux, bien sûr.
– Alors qu'est-ce qui te retient, ma puce ?

– Eh bien, primo en ce moment il est à l'ouest, il peint des tableaux dans le noir en se cognant partout ; et secundo, il a rompu avec moi tellement de fois, pour des raisons incompréhensibles, que si je me remets avec lui je pense qu'il va forcément recommencer. Enfin, pourquoi est-ce qu'il a fait un tel drame à la soirée de fiançailles et brisé nos vies pour toujours ? Pourquoi est-ce qu'il m'a jetée comme ça après le baptême ? Pourquoi est-ce qu'il m'a envoyé cette horrible lettre glaciale après le cours de préparation à l'accouchement ? Je ne suis pas assez intello pour lui. Ou peut-être que je suis trop vieille. Ne cours jamais après un homme, tu ne récolteras que du malheur.

– Vous, les filles, vous donnez trop de pouvoir aux hommes, dit papa. T'es-tu vraiment interrogée sur ce qu'il ressent ? Les hommes aussi ont des sentiments, à ceci près qu'ils ne sont pas toujours en train de les commenter. C'est à toi d'entretenir l'estime de soi chez l'autre. Parle-lui. Tu ne peux pas rester là, à attendre qu'on vienne te sauver.

– Mais pourquoi il partait sans arrêt comme ça ? Pourquoi il est devenu fou ?

– Tu dois trouver la réponse par toi-même, mon cœur. Mais je connais Mark depuis qu'il est petit. Je l'ai observé, quand on l'expédiait à la gare avec son petit costume et son col dur, sa petite valise à la main. Ensuite, quand il a été adolescent, il était toujours le petit boutonneux en sweat imprimé qui restait dans son coin sans rien dire : le meilleur des garçons, mais jamais celui qui emballait les filles. Un jour ça sera clair pour toi. Tu verras. »

22 h. C'est comme si les écailles m'étaient tombées des yeux. Bon, enfin pas littéralement. Je ne suis pas un poisson. Mais je me rends compte que je voyais les hommes comme des dieux tout-puissants ayant le don de décider si j'étais intéressante ou séduisante ou pas, au lieu de les considérer comme des êtres humains. Je ne m'interrogeais pas sur ce qu'ils ressentaient. Il faut que je… Il faut que… Oh, comme j'ai sommeil.

∼ SAMEDI 3 FÉVRIER

5 h. Chez moi. J'ai compris, enfin, je crois. Le hic, pour Mark, c'est ce que Daniel représente.

∼ MERCREDI 7 FÉVRIER

5 h. Chez moi. Mais je n'en continue pas moins à penser que c'était vachement brutal de sa part de m'envoyer cette lettre. Je veux dire, ce n'était pas moi qui faisais le pitre au cours de préparation à l'accouchement, c'était Daniel. Pourquoi passer ses nerfs sur moi ? Vachement salaud.

~ **MARDI 13 FÉVRIER**

5 h. Chez moi. Je n'ose pas l'appeler. Je n'ose pas. Ça me fera trop mal s'il dit non.

~ **MERCREDI 14 FÉVRIER**

13 h. Chez moi. Aaargh ! Il est une heure de l'après-midi. Je crève de faim, le bébé crève de faim. Faut que je me lève et que j'aille manger.

13 h 05. Aaargh ! C'est quoi, ça ?

13 h 06. C'est le bébé dans mon ventre. Je commence à avoir l'impression d'héberger une gigantesque dinde congelée.

13 h 10. Impossible d'enfiler mes chaussettes, le bébé est trop énorme.

13 h 30. Oh là là. Il n'y a rien dans le frigo. Et je n'ai pas d'argent liquide. Je meurs de faim. Le bébé meurt de faim.

13 h 31. Je vais juste faire un petit somme.

13 h 55. J'ai mis pas moins de dix minutes à essayer de m'extraire du canapé, c'est comme s'il y avait des mains collées sous mon ventre. Magda a raison, je ne peux rien faire toute seule. Je ne peux pas appeler Mark à l'aide après tout ce temps, il va croire que je fais ça par désespoir et pas parce que je l'aime vraiment et que je le comprends. Il faut que je me débrouille toute seule, que je rassemble mes esprits et aussi que j'aille acheter à manger.

15 h. Au Tesco Metro. « C'est un garçon ou une fille ? » demande une autre cliente tandis que j'essaie d'attraper les cheesy potatoes.

« Un garçon.

– C'est pour quand ?

– Mars. » Maintenant que ma grossesse est publique, ce n'est plus comme Sa Majesté la reine que je me sens, mais plutôt comme une hôtesse de l'air avec une tête humaine sur un corps d'éléphant qui répète la même chose à tout le monde avec un sourire figé.

« C'est pour quand ?

– Mars. Merci d'avoir choisi notre compagnie pour votre vol », dis-je distraitement.

« C'est un garçon ou une fille ? » demande la caissière tandis qu'elle scanne mes achats et que je fouille dans mon sac en quête de ma carte de crédit.

« Un garçon. Dans deux ans. C'est un éléphant », dis-

je en introduisant ma carte dans la machine et j'ajoute :
« Est-ce que vous pouvez me rendre cinquante livres en liquide, s'il vous plaît ?

– Composez d'abord votre code. »

Je la regarde d'un air absent.

« Tapez votre code, là. »

Les gens dans la queue derrière moi commencent à marmonner.

« Ah, les femmes enceintes ! Ça oublie tout ! »

« Je pense que c'est une fille, elle le porte en biais. »

« Vous croyez qu'elle va bien ? »

« Allez, dit la caissière. Dépêchez-vous.

– Je ne me souviens plus de mon code. »

Je commence à taper frénétiquement sur les touches. Ma date de naissance ? Non. Mon poids réel et mon poids idéal ? Non. Le bébé a boulotté la partie de mon cerveau qui contenait mes codes.

« Elle tire à blanc », dit un homme derrière moi.

Tire à blanc. Tire à blanc.

« Vous avez une autre carte ?

– Non », dis-je en farfouillant dans mon portefeuille à la recherche de liquide : rien d'autre qu'une pièce de cinquante pence. Je bredouille : « J'imagine que vous ne faites pas crédit ? Je suis une habituée du magasin, vous savez. Je suis très fiable. Je travaille à la télé – *Sit Up Britain*.

– Désolée. »

Je n'aurais pas dû lui dire que c'était un éléphant.

Tire à blanc. C'est ce que Daniel a dit à Mark après le cours de préparation à l'accouchement, quand Mark était tellement furieux et que je suis partie en taxi. Je me revois soudain me retournant et les regardant tous deux par la vitre arrière du taxi. Daniel parlait à Mark, la mine grave, et là Mark a explosé. Il s'était passé quelque chose. C'est après cette conversation, la nuit même, que Mark m'a envoyé la fameuse lettre.

Je sors mon téléphone, là, au Tesco, et je compose le numéro.

« Daniel ?

– Oui, Jones. Je m'apprête à faire une interview sur *La Poétique du temps* pour la plus importante émission culturelle à Monaco. Mais que puis-je faire pour toi ?

– Tu te rappelles, après le cours de préparation à l'accouchement ?

– Je me rappelle très bien, Jones, oui.

– Qu'est-ce que tu as dit à Mark ? »

Silence à l'autre bout de la ligne.

« Daniel ? » Je joue avec le feu.

« Oui, je pensais justement t'appeler à ce propos, Jones. J'ai dû laisser entendre à Darce que lorsque nous avons eu toi et moi notre délicieuse petite séance de crac-boum-hue reproductif, je n'étais pas, en effet, couvert pour la circonstance…

– QUOI ? Mais si, tu avais un préservatif ! Tu as menti. Tu es un vrai salaud !

– Allons, Jones. Ce n'est que Darcy. Oups. Il faut que j'y aille, Monte-Carlo est en ligne. *Bonjour les petites Monégasques !* À plus tard, Jones. »

Voilà, c'est ça ! me dis-je, debout près des caisses du supermarché, au milieu de la cohue des gens qui pestent, chargés de leurs achats. Mark est un homme d'honneur et il a cru que j'avais menti. Pour couronner le tout, il a cru que je lui mentais à propos des préservatifs. Il faut que je l'appelle immédiatement. Il pourrait arriver n'importe quoi. Il pourrait se remarier avec Natasha. Il pourrait retourner au Maghreb et ne plus jamais revenir. Il pourrait être devenu un peintre à succès et, en ce moment même, être en train de se faire baratiner par un directeur de galerie de Shoreditch en tenue bizarre et en chapeau.

15 h 30. Oh merde. Oh merde ! Mon iPhone s'est éteint tout seul. Impossible de me rappeler le mot de passe.

15 h 45. De retour chez moi. OK. Restons calme et stoïque. Je vais laisser reposer mon esprit troublé, comme une tasse de boue et… Mais c'est quoi ce mot de passe, bordel ?

15 h 46. Date prévue pour l'arrivée du bébé ? 1703 ? 0317 ? Non. De toute façon, ce bébé n'existait même pas quand j'ai entré le mot de passe dans mon téléphone. OK : quand j'avais trente-deux ans, Mark en avait… non. Quand j'en aurai soixante-cinq, Daniel… sera toujours un taré. Oh là là, oh là là. Il faut que je mette la main sur lui.

15 h 47. J'ai une idée ! Je vais appeler Mark en utilisant le bon vieux téléphone fixe.

15 h 48. Oh. C'est quoi, le numéro de Mark ?

16 h. Il est peut-être dans le carnet d'adresses de l'ordinateur.

16 h 05. L'écran de l'ordinateur dit : ENTREZ VOTRE MOT DE PASSE.

16 h 15. Bébé ? Mark ? MarkDaniel ? Fromage ? Patate ? Cheesypotatoe ?

16 h 30. Le bébé a bouffé tous les nombres que j'avais dans la tête. Impossible de me rappeler le numéro de Shazzer, ou celui de Tom, ou le numéro de papa. Je n'ai pas d'argent liquide. Je n'ai pas de cerveau.

17 h. Je fixe le mur d'un œil vide. Ce n'est pas la faute du bébé. C'est la technologie.

17h30. Grrr ! Je HAIS la technologie. Je voudrais que la technologie n'ait jamais été inventée. Depuis quand au juste il est impossible de faire quoi que ce soit sans avoir à se souvenir d'une stupide combinaison de noms ou de chiffres ? C'est exactement comme les alarmes à l'époque où votre voiture avait beaucoup plus de chances d'être vandalisée si elle était équipée d'une alarme, parce que l'alarme se déclenchait à tort et à travers et que ça horripilait tellement les gens qu'ils brisaient la vitre pour casser l'alarme. Les mots de passe sont censés empêcher les hackeurs russes d'accéder à votre ordinateur – pas vous empêcher VOUS d'accéder à votre propre ordinateur, ou à tout, en fait, pendant que les hackeurs russes vous piratent tranquillement toutes vos données.

18h30. S'il te plaît. Mon enfant. Donne-moi aujourd'hui mon mot de passe de ce jour, donne-le au peu qui reste de mon cerveau, pour que je puisse dire à Mark que nous l'aimons et voulons qu'il soit ton père et – urgence absolue – fais surgir des cheesy potatoes pour que je puisse te nourrir.

Et soudain, miracle, ça me revient.

8558

Je regarde les chiffres et les lettres correspondantes sur le téléphone fixe.

8558

TLKT

TELLE QUE T'ES

18 h 45. Ai bondi sur le portable et trouvé le numéro de Mark dans les contacts. Les mains tremblantes, je l'appelle. Je tombe sur sa boîte vocale.

« Mark, c'est Bridget. J'ai quelque chose de très, très important à te dire. Je ne t'ai pas menti à propos des préservatifs. C'est Daniel qui a menti. C'est toi que j'aime. Je t'aime. S'il te plaît, appelle-moi. S'il te plaît, appelle-moi. »

18 h 46. Rien. Peut-être que Mark a oublié son mot de passe.

19 h. Renvoyé à Mark le même message par SMS. Peut-être qu'il est encore en train de peindre. Peut-être que je devrais passer chez lui. Il faut que je trouve de la pouffe, je veux dire de la bouffe. Peut-être qu'il faut que je tire de l'argent d'abord, comme ça plus rien d'autre ne pourra mal tourner.

Me suis traînée, en vrac, jusqu'au distributeur de billets à l'intérieur de la banque. J'ai franchi la porte automatique, posé mon sac par terre et composé le code. Ça n'a pas marché. Pourquoi ça ne marche pas ? Peut-être que je l'ai composé trop de fois. Titubant, comme en état second, je franchis la porte automatique pour ressortir dans la rue et paf, juste au moment où elle se referme, je me rends compte que mon sac est resté à l'intérieur.

Oh là là, oh là là. Mon téléphone est dans mon sac, mon portefeuille et mes clés aussi.

Et les portes de la banque ne veulent plus s'ouvrir.

20 h 30. Effondrée sur le seuil devant chez moi. Cette idée de toujours minimiser, c'est de la foutaise. Magda a raison.

20 h 35. Il se met à pleuvoir : à pleuvoir vraiment beaucoup beaucoup.

20 h 40. Peut-être que je pourrais demander à un gentil inconnu de me prêter son téléphone ? Mais ensuite, quel intérêt, si je n'arrive pas à me rappeler un seul numéro ? Quoique, peut-être que si je me mets en mode « rêve » ?... ah, voilà un homme qui approche !

« Excusez-moi... », dis-je – mais il laisse tomber une pièce de monnaie sur mon manteau et s'éloigne à la hâte, l'air effrayé. Il m'a prise manifestement pour une femme-enfant enceinte et désespérée, comme la Fanny Robin de Thomas Hardy qui agonise dans la neige.

Entendant des pas, je redresse la tête avec effort, peut-être pour la dernière fois, et j'aperçois une silhouette familière en pardessus bleu marine qui accourt à grands pas sous la pluie.

QUATORZE

RÉCONCILIATION

« Qu'est-ce que tu fais assise sous la pluie ? » dit Mark en se précipitant vers moi. Il m'aide à me relever et commence à ôter son pardessus. « J'ai raté ton appel. J'étais au tribunal.

– Au tribunal ? Et ta peinture ?

– Une vraie daube. Ne m'en parle plus. Je t'ai appelée sans arrêt depuis ton coup de fil.

– Mon téléphone est dans mon sac coincé à l'intérieur de la banque.

– Ton sac est coincé à l'intérieur de la banque ? Tiens, enfile ça. »

Il pose son pardessus sur mes épaules.

« Pourquoi es-tu devant chez toi ? Où sont tes clés ?

– Dans le sac à l'intérieur de la banque.

– Elles sont dans le sac à l'intérieur de la banque. Magnifique. Je préfère ne pas te poser d'autres questions pour le moment. Bon ! Rien de nouveau sous le soleil. »

Il secoue la porte à plusieurs reprises et essaie de faire glisser le pêne dans la serrure avec sa carte de crédit.

« OK, dit-il, ça va probablement me valoir d'être radié du barreau mais allons-y. »

Il brise la vitre latérale d'un coup de poing et ouvre la porte de l'intérieur.

Je commence mon petit discours tandis que nous montons l'escalier.

« Je suis si heureuse de te voir. Je ne t'ai pas menti. Je ne t'ai jamais menti. Il y avait des capotes à dauphins, les deux fois. Je me suis rendu compte que j'ai été conditionnée pendant des années par tout ce qui s'est passé, par les manuels de développement personnel et autres conseils en *dating* de toutes sortes et puis à force de penser qu'un bon moyen de gagner le cœur d'un homme est d'avoir l'air de ne pas s'intéresser à lui. Qu'il ne faut pas laisser voir à un homme qu'il te plaît, au cas où il penserait qu'il te plaît et... »

La porte de l'appartement est fermée aussi, bien sûr. Mark sort sa carte de crédit et fait glisser le pêne sans difficulté.

« Hum, je crois que nous avons quelques petits problèmes de sécurité à régler par ici. Tu disais ?

– Je croyais qu'il ne fallait pas laisser voir à un ex que tu l'aimes encore, pour le cas où il penserait que tu l'aimes encore. »

Il devient tout à fait silencieux et immobile.

« Mark ?

– Oui.

– Je t'aime.

– Tu m'aimes ?

– Oui. Et je suis vraiment, complètement, sincèrement désolée.

– Non, c'est MOI qui suis désolé.

– Non, c'est MOI qui suis désolée.

– Mais ce n'était pas plus ta faute que la mienne, dit-il.

– Si. C'était ma faute. Maintenant que je vais avoir un enfant, je me rends compte – à cette occasion et dans beaucoup d'autres – que je n'étais pas obligée de réagir comme une gamine.

– Oui, enfin ce n'était pas exactement comme une gamine.

– Ça, c'est vrai. Sacrément beurrée, la gamine.

– Il y aurait de quoi s'inquiéter. » Il sourit et attrape une bouteille de vin. « C'est pour le bébé, ça ?

– Mark, ce que j'essaie de te dire, c'est que je suis désolée de t'avoir blessé et…

– Mais il n'y a pas de raison, je t'ai blessée aussi. Nous devons tous les deux nous exc…

– Écoute. Tu me laisses parler, s'il te plaît ? dis-je.

– Oui.

– Je m'excuse.

– On s'est déjà excusés.

– Mark, arrête. Écoute-moi. Arrête de jouer l'avocat,

arrête de jouer le mâle alpha, sois simplement une personne. »

Il paraît troublé une seconde, comme si toute son estime de soi s'effondrait à nouveau.

« C'est toi que j'aime, dis-je. Quoi qu'il arrive, quoi que tu décides de faire, ce sera toujours toi. J'ai déjà vécu un sacré bout de temps. De tous les gens que j'ai rencontrés dans le monde au cours de ma déjà longue existence, tu es le plus chic, le plus gentil, le plus intelligent, le plus sensible, celui qui a le plus d'âme. » Je remarque qu'il a l'air un peu déçu. Je me hâte d'ajouter : « Tu es aussi le plus sexy, le plus beau, spirituel et séduisant. » Là, son visage commence à s'éclairer. « Le plus élégant et le meilleur coup qui soit. » Il rayonne carrément. Je continue. « Tu es la personne au monde que j'aime le plus, à part le bébé, et c'est vraiment toi que je veux, du fond du cœur, pour être le père de cet enfant. »

Je réfléchis une seconde. « Oui, enfin, Shaz, Tom et Miranda disent que tu as un balai dans le cul, que tu as une personnalité évitante et psychorigide, que tu parles tout le temps boulot, que tu es sans arrêt au téléphone et…

– … absolument SANS ARRÊT au téléphone, coincé, snob, et handicapé du cœur, renchérit Mark d'un air penaud.

– Mais ils se trompent complètement. La vérité c'est que je t'aime et…

– Avec quelques petits ajustements peut-être : plus spirituel ? Plus spontané ? Plus joueur ? Plus charmant ? Plus… ?

– Non, dis-je. Juste tel que tu es.

– Tu m'as volé ma réplique. »

Le détecteur de fumée se déclenche.

« Zut, le curry.

– Tu as fait un CURRY ? dit Mark, l'air vraiment horrifié. Bonne Saint-Valentin, au fait.

– Non, c'est un plat à emporter de L'Éléphant rose. C'est LA SAINT-VALENTIN ? J'ai oublié que je l'avais mis dans le four avant-hier pour le réchauffer. »

Je crie pour couvrir le hurlement de l'alarme.

Une fumée âcre s'échappe du four.

Mark se souvient par miracle du code du détecteur de fumée et le tape tout en disant « Oui, c'est la Saint-Valentin », il actionne la hotte aspirante et ouvre la porte-fenêtre. Quand l'alarme se tait, il ouvre le four. Il en sort une boîte en polystyrène fondue avec le curry dedans.

« Tu sais une des choses que j'apprécie le plus chez toi, Bridget ?

– C'est quoi ? » je demande tout émoustillée, m'attendant à des louanges : que je suis intelligente, que je suis jolie…

« C'est que depuis tout le temps que je te connais, je ne me suis pas ennuyé avec toi une seule fois.

– Oh », dis-je en me demandant si ne pas être ennuyeuse est vraiment une qualité.

Je veux dire sur l'échelle des raisons pour lesquelles on peut vous aimer.

« J'ai connu plusieurs expériences de mort imminente, j'ai pris feu – sexuellement dans ton lit, et physiquement dans ta cuisine –, j'ai été empoisonné, rendu fou de désir, désespéré, offensé, gêné, en extase, trempé, couvert de gâteau, déconcerté par ta logique personnelle, singulière quoique largement défendable, j'ai été insulté par des ivrognes, forcé à jouer les cambrioleurs, à me battre, à flirter avec l'illégalité, j'ai connu les prisons du tiers-monde, des situations parentales embarrassantes, le vomi, l'humiliation professionnelle, mais jamais, pas une seule seconde, je ne me suis ennuyé. »

Il remarque mon expression.

« Mais tu me trouves intelligente ? dis-je.

– Très, très intelligente. Un prodige d'intelligence.

– Et jolie et mince ? dis-je pleine d'espoir.

– Très, très jolie et très mince – sauf que tu es ronde comme un ballon : comme un ballon mais toujours courageuse. Tu as été absolument héroïque et magnifique ces huit derniers mois, à gérer ça toute seule avec tout ce cirque à l'arrière-plan. Et maintenant tu vas gérer ça avec moi, quel que soit le père biologique du bébé. Je t'aime et j'aime ton bébé.

– Je vous aime tous les deux aussi. »

Ce fut la plus belle Saint-Valentin que j'aie jamais connue. Tard dans la nuit, nous avons commandé d'autres plats chinois et nous avons mangé face au feu (dans la cheminée cette fois, le feu). Et nous avons parlé, parlé, parlé, de tout ce qui était arrivé, et pourquoi. Et nous avons fait des projets pour la suite. Nous avons décidé de rester dans mon appartement, pour l'instant du moins, pour ne pas causer d'esclandre.

« C'est confortable, a dit Mark, et puis j'aime bien ta cuisine. »

Il s'est avéré que Mark était au courant par Jeremy du fiasco de *Sit Up Britain*, et il a parlé à Richard Finch et Peri Campos. Il a dit que ce qu'ils avaient fait était techniquement légal, mais – et Peri Campos l'a finalement admis – pas très moral et il m'a dit comment m'y prendre pour récupérer mon poste, le tout assorti d'un congé de maternité.

Ça paraissait très facile et simple et exactement comme ça devait être. Et puis on est allés au lit. Et ç'a été Stu.Pé.Fiant, comme dirait Miranda.

« Les femmes enceintes ne baisent pas comme ça, a dit Mark.

– Oh que si ! La preuve ! »

Quinze

~

Sa Majesté sauve la mise (si l'on peut dire)

14 h. Salle des fêtes de Grafton Underwood. Résultat du vote de Grafton Underwood pour déterminer qui, à part le pasteur, sera assis à côté de la reine lors du déjeuner de la reine.

Mark et moi sommes entrés dans la salle des fêtes par deux portes différentes, un peu en catimini, pour ne pas attirer l'attention. Maman prenait le micro sur l'estrade.

« Monsieur le lord-maire, monsieur le lord-lieutenant de Sa Majesté », commence-t-elle d'une voix tendue et geignarde, très différente de celle, claire et autoritaire, qu'elle a d'habitude.

« Objection ! » Mavis Enderbury bondit de son siège. « Il faut dire monsieur le lieutenant, pas monsieur le lord-lieutenant.

– Oh, mer… credi, je suis absolument navrée. » Maman perd les pédales pour de bon. « Quoi qu'il en

227

soit, voici notre bien-aimé maître après Dieu et comman-
dant des mers, le capitaine du vaillant navire de Grafton
Underwood : l'amiral Darcy ! »

Là-dessus elle retourne s'asseoir, l'air secouée.

Le père de Mark, un homme grand et portant beau
dans sa tenue d'amiral, rejoint l'estrade à grandes enjambées.

« Bon ! Allons-y. Plan de table, lance-t-il d'une voix
forte. Je suis heureux d'annoncer qu'à la gauche de Sa
Majesté sera assis, bien entendu, le pasteur, et à sa
droite, conformément au résultat de votre vote… »

Un frisson parcourt la salle tandis que l'amiral sort
une enveloppe portant un sceau de cire rouge sombre
à l'ancienne.

« À la droite de Sa Majesté », un sourire affectueux
se peint sur son visage, « une femme qui toute sa vie a
œuvré inlassablement pour ce village… et dont le saumon à la King nous a régalés pendant des décennies : je
veux nommer Mrs. Pamela Jones.

– Objection ! » Mavis Enderbury bondit à nouveau,
le visage grimaçant de colère sous sa coiffure qui res-
semble à un chapeau. « Pourrions-nous, s'il vous plaît,
penser un instant, non pas à nous-mêmes, mais au gou-
verneur suprême de notre Église et souverain de notre
État – Sa Majesté royale. En choisissant le représentant
de notre village – qui sera assis à la droite de Sa Majesté
et aura l'honneur de bavarder avec elle –, voulons-nous
un représentant de nos bonnes mœurs et de nos valeurs

familiales ? Ou la mère adultère d'une fille célibataire et enceinte, qui ne sait pas de combien d'hommes, sans compter un Noir dans le lot ? »

Tollé dans la salle quand Mavis regarde droit dans ma direction, entraînant tout le monde à faire pareil. Mark se dirige vers le micro, mais le village n'attend déjà plus d'explications.

« Honte à vous, Mavis ! rugit l'oncle Geoffrey. Propos racistes et ineptes, et puis Bridget est une fille adorable avec d'adorable gros...

– Geoffrey ! le coupe tante Una.

– Regardez Joanna Lumley[1] », dit papa, se levant soudain de sa chaise.

Silence respectueux dans la salle.

« Joanna Lumley était mère célibataire et, pendant des années, elle n'a voulu dire à personne qui était le père.

– Bonne remarque. Une excellente femme, dit Penny Husbands-Bosworth.

– Parfaitement. Famille de militaires, dit l'amiral Darcy.

– La Vierge Marie non plus ne savait pas qui était le père ! lance maman avec optimisme.

---

1. Actrice et productrice britannique née en 1946 qui a participé à de nombreuses séries télévisées, dont *Absolutely Fabulous* dans les années 1990-2000 où elle jouait la déjantée Patsy Stone, à la poitrine généreuse et au verbe cru. (*N.d.T.*)

– Si, elle savait ! dit le pasteur. C'était Dieu.

– Oui, mais je parie que tout le monde dans son village disait que c'était l'archange Gabriel, dit papa.

– Ou Jésus, dis-je obligeamment.

– Jésus, c'était L'ENFANT ! braille Mavis Enderbury.

– Je voulais parler des commérages, dit papa, aimable mais ferme. Et les commérages, ce n'est pas bien. »

Mark saute sur l'estrade avec une fougue d'avocat.

« Mr. Colin Jones a mis le doigt sur le problème, tonne-t-il. Nous vivons dans un pays – un pays autrefois renommé pour ses valeurs – qui est de plus en plus gouverné par les commères de village, qui ne sont pas sans rappeler une certaine catégorie de presse. Mais ici, dans cette salle des fêtes, grâce à votre rejet clair et net d'une mesquine tentative de malveillance, nous voyons bien ce que cela signifiait autrefois, et doit signifier aujourd'hui encore d'être anglais. »

Murmures d'autosatisfaction générale, même si on ne voit pas très bien pourquoi.

« Voyez Sa Majesté elle-même », poursuit Mark.

Les auditeurs se redressent tout excités, tels des suricates.

« Voyez les coups que lui ont infligés les tabloïds quand sa famille était embourbée dans la confusion et les infidélités. Voyez comme elle a tenu le cap, continué envers et contre tout à aimer les siens : avec loyauté, honnêteté, sens du devoir mais souplesse, comme toutes les familles et communautés qui se respectent. Nous sommes tous aveuglés par le bling-bling et l'éclat de notre monde en pleine évolution. Mais nous devons rester enracinés dans ce qui fait notre identité : la rigueur, l'honnêteté, la résistance, oui, mais sans porter de jugement. Et si je vous parle ainsi aujourd'hui, c'est non seulement en tant qu'enfant de ce village », il tourne les yeux vers moi et sourit, « mais en tant que père… »

Remous dans la salle.

« Oui, oui – quel que soit le père biologique, et pour l'instant nous l'ignorons –, en tant que PÈRE de celui qui sera bientôt le prochain nouveau-né de Grafton Underwood. »

Acclamations générales.

« Mesdames et messieurs, dit l'amiral, visiblement ému mais prenant sur lui. Ce n'est peut-être pas conforme aux règles, mais je propose un nouveau vote. Que tous ceux qui sont d'accord pour que Pamela Jones soit assise à la droite de Sa Majesté lors du déjeuner qui suivra la cérémonie lèvent la main. »

Toutes les mains se lèvent, y compris celle de Mavis.

« Motion adoptée. Pamela Jones s'assiéra à la droite de la reine. »

Applaudissements et acclamations. Et voilà que tout à coup l'amiral Darcy se tourne vers Mark et le serre dans ses bras.

« Eh bien, n'en jetez plus », dit l'oncle Geoffrey.

Le vieil amiral se fait violence.

« Je t'aime, mon fils, dit-il. Je t'ai toujours aimé.

– Je t'aime aussi, père.

– Bon. Eh bien voilâââ. Passons à la suite. »

Comme Mark l'a dit dans la voiture, quand nous avons fini par échapper aux torrents de larmes et aux embrassades : « Tout cela était si absurde que chacun était bien en peine de garder un minimum de prise sur le réel. »

Mais c'est bon d'avoir cette histoire en commun. Et tu vois, Billy, c'est pour cela qu'il est si important pour moi que tu te souviennes de ce que Mark a dit ce jour-là. Le monde dans lequel tu vas entrer te fera nager dans d'autres eaux, où tant de choses dépendront du nombre de *like* que tu obtiendras sur Facebook ou Dieu sait quoi d'autre, où tout le monde préférera faire étalage de sa tristesse, de ses peurs et de ce qu'il ressent vraiment plutôt que de le partager ; et *liker* l'ami le plus célèbre, ou le plus riche, ou le plus beau, plutôt que le plus humain ou le plus gentil. Tu es la nouvelle génération de Grafton Underwood. Et avant que tu aies eu le temps de te retourner, Mark et moi serons en train d'organiser des buffets de dinde au curry, des brunchs-karaokés et d'essayer de te brancher avec la petite-fille de Una Alconbury.

SEIZE

~

GROSSESSE FANTÔME

7 h. Chez moi. Le bébé est attendu pour demain. Je suis tout excitée.

9 h. Chez moi. Bébé toujours pas là.

Bébés : 0

17 h. Chez moi. Bébé TOUJOURS PAS là. Me sens comme un gosse qu'on envoie sur le pot et qui n'arrive pas à faire tandis que les adultes attendent, de plus en plus hostiles, derrière la porte de la salle de bains. Peut-être que je suis vraiment un éléphant. Peut-être que ça va prendre deux ans.

~ JEUDI 22 MARS

16 h. Chez moi. Le bébé n'est pas là. Cette fois, ça devient vraiment inconfortable : c'est comme si j'avais une autruche congelée dans le ventre.

Peut-être qu'il va gicler à l'extérieur comme l'alien du film en se frayant un chemin à coups de dents à l'intérieur de mon ventre, et apparaître sous la forme d'un gamin qui marche déjà et réclame son iPad en braillant : « Je veux finir mon niveau-eau-eau ! »

~ VENDREDI 23 MARS

7 h. Chez moi. « On peut toujours aller chercher un curry ? » dis-je pleine d'espoir à Mark au moment où il s'apprête à partir au travail.

« Nooon ! Surtout pas de curry. Je suis marqué à vie par la mousse de polystyrène fondue et le curry brûlé. Pourquoi est-ce que tu ne te… préparerais pas encore un peu ? »

8 h. OK. Je vais vérifier encore une fois ma valise. Il me faudrait peut-être un quatrième sac, juste un petit fourre-tout pour… Chic, le téléphone !

« Oh, ma chérie, je suis tellement contente ! La reine sera là cet après-midi. Je n'arrive pas à croire que c'est réel. Toujours rien ? Tu sais, je pensais à toi et Mark mentionnant "William" comme nom ; c'est un peu tradi, non ? Que dirais-tu de Maddox ? Tu savais que Shiloh ça fait "Sholie" à l'envers ? Comme sa mère ! Tu ne trouves pas ça super ?

– Super », dis-je d'un ton morne en notant SHILOH sur un post-it. « Non, pas vraiment. Ça fait Holish.

– Ne sois pas sotte, ma chérie. Ça ne fait pas Polish. Quelle idée pour un prénom ! Au fait, tu as essayé l'huile de foie de morue ? Oh, il faut que je me sauve ! Le lord-lieutenant arrive ! Bridget ! Je vais vraiment être assise à côté de la reine ! »

Je me sens soudain au bord des larmes. Tous ces mois de travail et voilà que le rêve de maman – si dingue soit-il – s'est réalisé. « Bonne chance, maman. Profites-en. Tu l'as bien mérité. Allez, éblouis-la, à fond les ballons. »

9 h. Le bébé n'est toujours pas là. Je me sens un peu comme un escroc. C'est peut-être une grossesse fantôme et toute cette histoire… Oh chic ! Téléphone, encore !

C'était Magda, avec une voix bizarrement glaciale :

« J'imagine que Miranda et Shazzer ont été les premières informées, même si c'est moi qui t'ai soutenue pendant tout ce temps, mais Miranda et Shazzer sont plus marrantes et plus branchées, pas vrai ?

– Qu'est-ce que tu racontes ?

– Le bébé. Tu aurais pu me prévenir, après tout ce que j'ai fait pour toi.

– Le bébé n'est pas là, dis-je.

– OH ! Moi qui croyais que tu m'avais rayée de ta liste. Mais, Bridget, tu as une semaine de retard ! Tu vas déguster salement. Il faut qu'on te le provoque.

– Quelle liste ?

– Tu as fait la liste des gens à prévenir de la naissance ? Tu dois l'avoir toute prête dans ta messagerie. Tu ne seras pas en état d'aller pêcher toutes ces adresses mail en plein post-partum. »

10 h. Magda a raison. Je ne veux pas me retrouver en train d'aller pêcher des adresses mail quand je serai toute à la joie du nouveau bébé.

10 h 05. Si ce présumé bébé existe pour de bon.

Midi. Bon. J'ai sélectionné à peu près toutes les adresses.

Mark et Bridget sont heureux de vous annoncer...

12 h 15. Hum, il y a un hic. On a gardé le secret auprès des amis sur le fait qu'on était ensemble tant que la question de la paternité n'était pas résolue, pour ne pas froisser Daniel.

12 h 30.

Bridget est heureuse de la venue au monde...

Beurk, c'est sinistre.

12 h 45.

Mesdames et messieurs. Veuillez accueillir...

Non. On croirait entendre le maître de cérémonie d'un gala royal de charité. Pourquoi pas quelque chose d'un peu plus enlevé ?

13 h.

Expéditeur : Bridget Jones
Sujet : Bébé !

C'est un garçon ! Bridget Jones a donné naissance à un petit garçon, William, Harry, 3,5 kg. La mère et l'enfant se portent bien.

13 h 15. Ça fait un peu « tradi ».

```
PS. Bridget est morte pendant l'accouche-
ment.
```

13 h 16. Hihihi. OK. Je sauvegarde.

13 h 17. Oh là là. Oh là là. J'ai cliqué sur ENVOYER À TOUS.

15 h. Désastre total. Les deux téléphones sont devenus dingues et sonnent sans arrêt, et de nouveaux SMS tombent toutes les quatre secondes. Viens d'ouvrir ma messagerie : vingt-six mails.
« Félicitations ! »
« Le coup de la mort, c'était une blague, non ? »

15 h 10. Aaargh ! On sonne à la porte.

15 h 16. C'est un énorme bouquet de fleurs de la part de *Sit Up Britain*.
Aaargh ! Nouveau coup de sonnette.

15 h 30. C'est un énorme lapin en peluche de la part de Miranda, avec un petit mot qui dit : « C'est mignon, c'est en peluche et je m'en vais le faire bouillir ! »
OK. OK. On se calme, on se calme. Je vais simplement envoyer un autre mail groupé et réparer tout ça.
Et peut-être renvoyer les fleurs avec un mot

d'excuses. Et aussi le lapin. Quoique. Il est mignon et ne mérite pas d'être bouilli.

15 h 35. Mon Dieu, je voudrais que le téléphone arrête de sonner et les SMS de tomber, d'accord ?

```
Expéditeur : Bridget Jones
Objet : Ignorez mail précédent

Chers tous, je suis vraiment désolée, mais je
n'ai toujours pas eu mon bébé pour le moment.
Quand j'aurai eu mon bébé, je ne manquerai pas
de vous informer de l'heureux événement !
```

15 h 45. Envoyé.

15 h 46. Seulement voilà. Comment est-ce que je vais pouvoir maintenant leur envoyer un autre mail quand le bébé naîtra pour de bon ? Je suis comme le garçon qui criait au loup. Plus personne ne me croira.

DIX-SEPT

~

L'ARRIVÉE

18 h. Chez moi. Youpi ! Mark est rentré du travail.

« Oh là là, ces escaliers », dit-il en entrant, la cravate desserrée, la chemise légèrement défaite, le mec hyper sexy qui rentre du boulot. « Désolé, je suis en retard, mon ange », dit-il en déposant un baiser sur mes lèvres. « Toute la ville est embouteillée. J'ai dû laisser la voiture et prendre le métro. Il est où, ce mail qui te bouleverse à ce point ? »

Je lui montre d'un air penaud le mail catastrophe.

J'adore la façon qu'il a de regarder un truc à toute vitesse – un truc qui me fait flipper à mort et me tourmente depuis des jours – et, comme s'il était au bureau, d'évaluer en quelques secondes l'importance du problème, le temps qu'il nécessite, puis de le traiter.

« OK. Eh bien, c'est très amusant, dit-il. Tu as réparé ton erreur. N'y pense plus. C'est quoi, tous ces sacs ?

– C'est ma valise pour la maternité ! dis-je fièrement.

– D'accord, dit Mark. Je pensais que maintenant que tu as dépassé la date et puis avec les escaliers et tout ça, on pourrait peut-être en retirer un ou deux ?

– Ouillouillouillouillouilouillouillouille ! » Je suis prise tout à coup de la pire crampe-contraction-douleur de toute ma vie. « Ouillouillouillouillouilouillouillouille !

– D'accord, hum, magnifique. Ah. J'ai renvoyé ma voiture et mon chauffeur. Ta voiture ?

– Je l'ai laissée à Magda, dis-je, affolée.

– Bridget. Arrête de paniquer. Je vais appeler une voiture avec chauffeur. Tu dois garder ton calme, sinon…

– Ouillouillouillouillouille !

– Oh là là. Oh là là, bredouille Mark. Ça ne fait que deux minutes depuis la dernière contraction. Tu vas accoucher dans la voiture !

– Arrête de paniquer. Ouillouillouille ! »

Le téléphone de Mark sonne. Il le regarde intensément.

« Saloperie de boulot ! » crie-t-il tout à coup, et il le balance par la fenêtre.

« Nooooooon ! » je hurle en guettant le bruit du téléphone qui va s'écraser trois étages plus bas.

On se regarde, tous les deux hagards.

« Prends le mien, dis-je.

– OK, OK. Il est où ?

– J'en sais rien !

– Mets tes pieds en l'air, respire. »

Il trouve le téléphone, grogne quand il tombe sur une messagerie vocale et met le haut-parleur.

« Tous les spécialistes de notre service clientèle sont actuellement occupés à répondre à d'autres appels et nous regrettons les retards importants causés par l'accroissement de la demande. »

« Une ambulance ? » Il fait le 999. « Je vois, très bien. Les embouteillages en ville », dit-il, éteignant le téléphone, juste au moment où une autre contraction m'assaille. « Ils ne font que les urgences. Apparemment, un accouchement normal n'est pas une urgence.

— Pas une urgence ? » je hurle. « J'ai l'impression d'être en train d'expulser une autruche. Merde ! Tu peux aller chercher les bâtonnets glacés dans le congélateur ?

— Je vais envoyer un SMS à tout le monde, dit Mark en fouillant dans le congélateur. Il doit bien y avoir quelqu'un dans le coin.

— Descendons dans la rue et voyons si on peut héler un taxi, dis-je.

— Est-ce qu'on a vraiment besoin de tout ce bazar ?

— Oui ! Oui. Il me faut des balles de tennis et les bâtonnets glacés. »

Me traînant, me portant à moitié, Mark me conduit jusqu'à la rue puis retourne chercher les quatre sacs. Effectivement, la circulation est dense : véhicules immobilisés, bus, camions klaxonnant et crachant des gaz d'échappement. Par un miracle du style accouchement de la Vierge, un taxi tourne au coin d'une rue latérale avec son voyant allumé. Mark se jette littéralement sur le capot.

« Petite excursion sympa ? » dit le chauffeur tandis que Mark charge les sacs dans le taxi. « Ouillouille ! » je crie, sur quoi le chauffeur me regarde d'un air terrifié. « 'A va pas accoucher dans mon taxi, quand même ? »

« Suce ça, dit Mark en me tendant un bâtonnet glacé. Au fait, la reine vient d'arriver à la salle des fêtes de Grafton Underwood.

– C'est pas de la glace, dis-je. C'est une saucisse congelée ! »

Au bout de vingt minutes pendant lesquelles le chauffeur de taxi n'a pas cessé de geindre qu'il venait juste de faire nettoyer sa voiture, nous n'avons fait qu'un petit kilomètre et les contractions se succèdent toutes les trente secondes.

« D'accord. C'est râpé. On va devoir marcher, dit Mark.

– Une idée qu'elle est bonne, m'sieur, si je peux me permettre, tout le monde descend », dit le chauffeur et il me propulse sans ménagement hors de son taxi.

« Et mes affaires ? je braille.

– On s'en fout des affaires », dit Mark, et il traîne mes quatre sacs dans le kiosque d'un marchand de journaux, ébahi, avant de lui tendre vingt livres.

« Il va falloir que je te porte ! »

Il me soulève, comme Richard Gere dans *Officier et*

gentleman, et vacille sous le poids. « Vingt dieux, tu pèses des tonnes. »

Le téléphone sonne. « Attends. Permets que je te dépose une seconde. Cleaver ! – Cleaver arrive, il vient à pied, enfin, au pas de course – oui ! Je la porte ! On est juste au carrefour de Newcomen Street et de l'A3. »

Nous avançons dans la rue en titubant, gémissant tous les deux, Mark me déposant sans arrêt pour presser ses paumes contre ses reins.

Et voilà que surgit Daniel, le visage rouge, au galop et hors d'haleine.

« Cleaver, dit Mark. C'est sans doute la seule fois de ma vie où je suis vraiment content de te voir.

– D'accord. Tout le monde se calme. C'est moi qui dirige les opérations. Je prends la tête, tu prends les pieds », dit Daniel, la respiration sifflante comme s'il était au bord de la crise cardiaque.

« Non, c'est moi qui prends la tête, dit Mark.

– Non. C'est moi qui ai déclenché tout ça et…

– Ça suffit. Arrêtez. Vos chamailleri-i-i-i-i-ies », dis-je et je mords un bon coup la main de Mark, sur ce ils me lâchent les bras tous les deux et manquent de me laisser tomber.

On continue à avancer tant bien que mal en titubant tous les trois comme dans une partie bizarre de tire-moi-que-je-te-pousse jusqu'aux urgences de l'hôpital et on reste coincés dans la porte à tambour.

Finalement, on arrive à s'extraire de la porte et à entrer. Daniel et Mark tanguent vers l'accueil, me tenant entre eux comme un sac de pommes de terre, et me déposent sur le comptoir.

«Qui est le père? demande l'hôtesse.

– Je suis le père, dit Daniel.

– Non, c'est MOI le père», dit Mark, juste au moment où le Dr. Rawlings surgit à la porte, poussant un lit roulant.

«Ils sont tous les deux les pères», dit le Dr. Rawlings, tandis que tous trois me hissent sur le lit roulant.

Eh bien, me dis-je – et pas pour la première fois, hélas, dans cette triste saga –, ce n'est pas du tout comme ça que j'imaginais ce moment.

Dix-huit

~

Vive nous !

21 h. Salle d'accouchement à l'hôpital. « Et voilà, un beau petit garçon absolument parfait ! »

Le Dr. Rawlings t'a déposé dans mes bras et je l'ai vraiment vue essuyer une larme. « Je n'aurais jamais cru qu'on en verrait le bout », a-t-elle dit d'une voix étranglée.

Et voilà, tu étais là, dans mes bras, ta peau contre ma peau, non plus une petite dinde dans mon ventre, mais une petite personne. Tu as agité tes poings minuscules, essayant de me parler : tout petit, parfait, beau de partout. Tu m'as regardée droit dans les yeux et, j'imagine que tu ne t'en souviens pas, mais la première chose qu'on a faite ensemble, c'est de frotter nos nez.

« Bonjour, mon chéri, ai-je dit à travers mes larmes. Bonjour, mon chéri. Je suis ta maman. On y est arrivés. »

J'ai levé les yeux vers Mark et Daniel et les ai découverts en larmes eux aussi.

« C'est que, c'est tellement émouvant tout ça », a bredouillé Daniel, serrant fort le bras de Mark.

« Je sais, je sais. » Mark a réussi à se dégager. « Dis-moi, tu peux me lâcher ?

– Oh, pour l'amour du ciel, ressaisissez-vous, a dit le Dr. Rawlings. J'ai jamais vu un cinéma pareil. »

La porte s'est ouverte à la volée.

« Bridget ! » a dit maman, repoussant tout le monde pour être la première. « Tu sais que je venais juste de m'asseoir à côté de Sa Majesté quand j'ai reçu l'appel ? Je suis venue dare-dare. Je veux dire, évidemment il y a des choses plus importantes que la reine, mais enfin…

– Pamela, a dit mon père. Regarde. Ton petit-fils.

– Oh. Oh, mon chéri. Mon petit garçon. » Je t'ai déposé doucement dans ses bras et son visage s'est chiffonné. « Oh, Bridget. Il est parfait. »

C'était trop chou. Puis elle a dit : « Est-ce qu'on ne pourrait pas textoter une photo à la reine ? »

Miranda a fait irruption avec une bouteille de mojito, suivie par un Richard Finch radieux. « Bridget Jones. Je suis si fier de toi ! » Il m'a regardée attentivement, inquiet un quart de seconde. « Ah, Dieu merci, les nénés XL sont toujours là. »

Tout le monde est arrivé. Tom et Shazzer s'étreignaient, et étreignaient tous ceux qui étaient à portée de bras. Jeremy s'est mis à déborder d'affection pour Magda, la prenant par la taille. « Je te demande pardon, mon amour. Tout va changer, désormais. Tous nos bébés. Toutes ces années.

– Tu es. Toujours. En. Disgrâce », a dit Magda.

Au même instant, la porte s'est ouverte à nouveau à la volée et Mark et Daniel sont entrés, l'air nerveux.

Tous les regards se sont tournés vers eux. « Alors ?

– Nous devons attendre », a dit Mark.

Daniel a tendu la main à Mark. Mark n'a pas protesté et ils se sont assis tous les deux, se tenant la main.

« Et le gagnant est ! » a dit le Dr. Rawlings, apparaissant sur le seuil. « Je peux l'annoncer devant tout le monde ou bien vous préférez être seuls ? C'est plutôt marrant, non ? – on dirait la scène finale de *The X Factor*[1].

– Je pense qu'on est tous une famille, vous êtes d'accord ? » ai-je demandé à Mark et Daniel.

Tous deux ont acquiescé nerveusement.

« Très bien. Le père du bébé de Bridget Jones n'est autre que… »

---

1. Émission de téléréalité britannique, un peu équivalente à *Nouvelle Star* en France. (*N.d.T.*)

Et finalement...

« Mark Darcy !

– Oh, merci, mon Dieu », a dit Daniel tandis que je te déposais dans les bras de ton vrai papa. « Je veux dire, ne le prends pas mal, Jones », s'est-il hâté d'ajouter en voyant ma mine. « Adorable, tout à fait charmant, bien sûr. Simplement, je connais mes limites. Que le meilleur gagne ! »

Mark te regardait, rayonnant d'amour et de fierté. « Pourquoi tu ne lui demandes pas ? a-t-il chuchoté.

– Daniel, ai-je dit, est-ce que tu aimerais être son parrain ?

– Eh bien, ma foi c'est... hum, absolument... » Sur le coup, Daniel a paru s'étrangler, puis il s'est ressaisi. « C'est une proposition courageuse et qui témoigne d'une belle grandeur d'âme. J'accepte, merci. » Et il a ajouté : « Et puisque mon filleul n'est pas une fille, vous n'avez pas à craindre que j'essaie de la baiser quand elle aura vingt ans.

– Bon. Ça suffit comme ça. Sortez tous de la chambre,

a dit le Dr. Rawlings. Et laissez maman et… papa… être enfin un peu seuls avec leur fils.

– Dr. Rawlings, a dit Daniel comme tout le monde se dirigeait vers la porte, permettez-moi de vous dire que je n'ai jamais vu de ma vie quelqu'un d'aussi sexy en blouse blanche.

– Oh, vous êtes un petit coquin, vous », a-t-elle gloussé.

« Attends, ai-je dit à mon père au moment où il allait sortir. Tu ne l'as pas encore tenu dans tes bras. »

Papa, ou plutôt grand-papa désormais, a touché ta joue très doucement.

« Oups, évitons de laisser tomber sa tête », a-t-il dit ensuite tandis que Mark, nerveux, te tendait vers lui très maladroitement. Alors papa (le mien) a plongé les yeux dans les tiens, dans les yeux de son petit-fils.

« Prenez soin de lui, a-t-il dit à Mark d'une voix rauque. Et d'elle aussi.

– Mr. Jones. Si j'arrive seulement à la cheville du père que vous avez été pour Bridget, alors je serai déjà…

– Alors il sera le bébé le plus heureux du monde », a dit papa.

À cet instant, ton petit poing a battu l'air, heurté un bouton sur le monitoring et fait tomber un verre de sirop de cassis qui a explosé, faisant gicler du cassis partout. Les voyants se sont mis à clignoter et la machine a commencé à émettre un signal d'alarme tonitruant comme pour une attaque aérienne imminente.

Le Dr. Rawlings est revenue à bride abattue dans la salle d'accouchement, l'air paniquée, suivie par tous les autres.

«Telle mère, tel fils», a braillé Mark par-dessus le vacarme. «Bridget?

– Quoi? ai-je hurlé.

– Veux-tu m'épouser?

– Jones? a hurlé Daniel, avec un regard de conspirateur en direction de Mark. Je suppose que tirer un dernier petit coup est hors de question?

– Oui!» ai-je crié, et ma réponse heureuse, merveilleuse et bouleversée s'adressait à tous les deux.

~

Et voilà comment, mon petit chéri,
je suis devenue ta maman.

REMERCIEMENTS

Gillon Aitken, Clare Alexander, Sunetra Atkinson, Helen Atkinson-Wood, María Benitez, Grazina Bilunskiene, Helena Bonham Carter, Charlotte et Alain de Botton, Richard Cable, Susan Campos, Liza Chasin, Richard Coles, Rachel Cugnoni, Dash et Romy Curran, Kevin Curran, Richard Curtis, Scarlett Curtis, Patrick Dempsey, Paul Feig, Eric Fellner, la famille Fielding, Colin Firth, Carrie Fisher, Piers et Paula Fletcher, Stephen Frears, Jules Gishen, Amelia Granger, Hugh Grant, Simon Green, Debra Hayward, Susanna Hoffs, Jimmy Horowitz, Jenny Jackson, Simon Kelner, Charlie Leadbeater, Tracey MacLeod, Marianne Maddalene, Sharon Maguire, Murillo Martins, Karon Maskill, Dan Mazer, Sonny Mehta, Maile Meloy, Leah Middleton, Abi Morgan, David Nicholls, Catherine Olim, Imogen Pelham, Sally Riley, Renata Rokicki, Mike Rudell, Darryl Samaraweera, Tim Samuels, Emma Thompson, Patricia Toro Quintero, Daniel Wood, Renée Zellweger.
Et des remerciements particuliers à Brian Siberell.

TABLE

Composition : IGS-CP
Impression en octobre 2016
Éditions Albin Michel
22, rue Huyghens, 75014 Paris
www.albin-michel.fr
ISBN : 978-2-226-39326-5
N° d'édition : 22511/01
Dépôt légal : novembre 2016
Imprimé au Canada chez Marquis imprimeur inc.